POLÍTICA
PARA NÃO SER IDIOTA

PAPIRUS ❖ DEBATES

A coleção Papirus Debates foi criada em 2003 com o objetivo de trazer a você, leitor, os temas que pautam as discussões de nosso tempo, tanto na esfera individual como na coletiva. Por meio de diálogos propostos, registrados e depois convertidos em texto por nossa equipe, os livros desta coleção apresentam o ponto de vista e as reflexões dos principais pensadores da atualidade no Brasil, em leitura agradável e provocadora.

MARIO SERGIO CORTELLA
RENATO JANINE RIBEIRO

POLÍTICA
PARA NÃO SER IDIOTA

PAPIRUS 7 MARES

Capa	Fernando Cornacchia
Coordenação	Beatriz Marchesini
Transcrição	Nestor Tsu
Edição	Aurea Guedes de Tullio Vasconcelos e Beatriz Marchesini
Diagramação	DPG Editora
Revisão	Ana Carolina Freitas, Elisângela de Freitas Montemor e Isabel Petronilha Costa

Dados Internacionais de Catalogação na Publicação (CIP)
(Câmara Brasileira do Livro, SP, Brasil)

Cortella, Mario Sergio
  Política: Para não ser idiota/Mario Sergio Cortella, Renato Janine Ribeiro. – 9ª ed. – Campinas, SP: Papirus 7 Mares, 2012. – (Coleção Papirus Debates)

  ISBN 978-85-61773-16-8

  1. Diálogo 2. Filosofia política I. Ribeiro, Renato Janine. II. Título. III. Série.

  12-07096   CDD-320.01

Índice para catálogo sistemático:
1. Filosofia política   320.01

9ª Edição – 2012
16ª Reimpressão – 2024

A grafia deste livro está atualizada segundo o Acordo Ortográfico da Língua Portuguesa adotado no Brasil a partir de 2009.

Proibida a reprodução total ou parcial da obra de acordo com a lei 9.610/98.
Editora afiliada à Associação Brasileira dos Direitos Reprográficos (ABDR).

DIREITOS RESERVADOS PARA A LÍNGUA PORTUGUESA:
© M.R. Cornacchia Editora Ltda. – EPP – Papirus 7 Mares
R. Barata Ribeiro, 79, sala 316 – CEP 13023-030 – Vila Itapura
Fone: (19) 3790-1300 – Campinas – São Paulo – Brasil
E-mail: editora@papirus.com.br – www.papirus.com.br

Sumário

O indivíduo e a sociedade:
Política não é coisa de idiota 7

Conviver: O mais político dos atos 14

A política como pulsão vital 20

Corrupção causa impotência? 29

Quem deve ser o dono do poder? 37

Política: Encargo ou patrimônio? 51

Mundo da política, mundo da cidadania 56

Uma cidadania contra o colapso 62

A política como tema de sala de aula 70

Da importância da transparência 76

Entre o confronto e o consenso:
Formas de lidar com as diferenças 86

A favor da vida: Política faz bem 96

Glossário 104

N.B. Na edição do texto foram incluídas notas explicativas no rodapé das páginas. Além disso, as palavras em **negrito** integram um **glossário** ao final do livro, com dados complementares sobre as pessoas citadas.

O indivíduo e a sociedade:
Política não é coisa de idiota

Mario Sergio Cortella – Sabe, Renato, ao pensar neste nosso encontro, eu me dei conta de que a ideia para esta conversa surgiu quando fiquei pensando no conceito de *idiota*.

Renato Janine Ribeiro – E você se lembrou de mim...

Cortella – Brincadeira à parte, lembrei sim, mas em razão de sua formação filosófica que possibilita uma reflexão particularmente interessante de como lidar com nosso tema. Esse termo aparece em comentários indignados, cada vez mais frequentes no Brasil, como "política é coisa de idiota". O que podemos constatar é que acabou se invertendo o conceito original de idiota, pois a expressão *idiótes*, em grego, significa aquele que só vive a vida privada, que recusa a política, que diz não à política. No cotidiano, o que se fez foi um *sequestro semântico*, uma inversão do que seria o sentido original de idiota. O que você pensa a respeito da retomada desse conceito como aquele que vive fechado dentro de si e só se interessa pela vida no âmbito pessoal? Sua expressao generalizada é: "Não me meto em política". Como você vê essa postura?

Janine – Vejo uma coisa meio paradoxal hoje. Por um lado, gosto muito de nosso tempo porque estamos vivendo o período de maior liberdade de toda a história. Nunca antes, na história deste mundo, houve tanta liberdade política e pessoal. Metade da humanidade se expressa, se organiza, vota, tem a orientação sexual de seu agrado. Logo, dessa perspectiva, a política se expandiu muito. Tanto é assim que atualmente há certa convergência de conceituação entre política e democracia. Quando os teóricos definem uma ou outra, dizem que as duas passam pela fala, pela conversa, pelo diálogo. Elas se opõem às ditaduras porque nestas não há liberdade de expressão. Daqui a um tempo é possível que predomine a ideia de que não há política que não seja democrática, e então talvez não se ouça mais falar em política stalinista, em política ditatorial etc. Talvez se ache que uma "política ditatorial" é uma contradição... Esse é o aspecto *positivo* do mundo contemporâneo. Por outro lado, o negativo – ou, pelo menos, preocupante – é o desinteresse pela política, que você apontou. Quer dizer, ao mesmo tempo em que meia humanidade está se beneficiando de avanços democráticos, boa parte das pessoas está enojada pela descoberta ou pelo avanço da corrupção (aliás, é discutível se ela realmente aumentou ou apenas se tornou mais visível).

Cortella – De fato, mas elas se sentem assim em relação a um determinado modo de fazer política. Não corresponde à ideia mais abrangente de política. Você tocou num ponto que é a conexão entre liberdade, democracia e política. Vale lembrar que, para a própria sociedade grega – nossa mãe antiga, idosa, agora um pouco desprezada –, não haveria liberdade fora da política. Quer dizer, o idiota não é livre porque toma conta do próprio nariz, pois só é livre aquele que se envolve na vida pública, na vida coletiva.

Janine – Mas para nós, modernos, a liberdade pessoal é fundamental. Isso pressupõe uma sociedade muito mais diversificada do que a grega ou do que qualquer outra. Até 200 anos atrás, toda sociedade exigia de seus membros uma conformidade religiosa, e até uma conformidade alimentar, para subsistir – mesmo entre os gregos era assim. Já a nossa sociedade admite uma diversidade fabulosa: pode-se jantar no restaurante indiano sem ser hinduísta, ou no italiano sem ser católico-romano. Tais escolhas não implicam necessariamente uma postura social ou política. Esse avanço da vida pessoal, que é o que você está falando do *idiótes*, realmente é entendido por nós como algo positivo, e nos melhores momentos conseguimos fazer com que haja convergência entre liberdade política e liberdade pessoal.

Cortella – Claro, a liberdade pessoal é necessária. O avanço da noção de indivíduo, desde a Renascença, foi decisivo para o desenvolvimento da sociedade como a conhecemos. Contudo, o individualismo se transformou em obsessão em vários momentos, o que é especialmente evidente na substituição do *indivíduo* pelo *individual* – entendido como exclusivo, e não como identidade. Até quando você evoca a possibilidade de eu ter minha orientação sexual, religiosa ou alimentar, existe aí uma determinação – para usar um termo antigo de **Marcuse** – da *indústria cultural*, da ideologia da sociedade industrial, que cria alguns padrões de comportamento. De fato, algumas pessoas (aquelas com mais condições econômicas ou mais autonomia intelectual) podem fazer escolhas mais livres. Eu posso ir a um restaurante indiano sem ser hinduísta ou indiano; posso frequentar um culto sem praticá-lo. Mas também sou constrangido – conscientemente ou não – a uma série de práticas que suponho serem minhas escolhas no mundo do consumo, da indústria cultural, mas que não são realmente minhas. Você considera que esse é um traço característico do moderno, isto é, de uma ideologia cujas plataformas são mais eficazes do que as de outros tempos?

Janine – Sim, no sentido de que já não é preciso matar pessoas, levá-las à fogueira ou ameaçá-las para conseguir que os comportamentos se ajustem ao que é socialmente desejável. Nesse quesito, acho que temos um misto de avanço e de recuo. Quer dizer, é ótimo que ninguém seja morto por divergir das correntes dominantes na política ou mesmo no comportamento, mas também é preocupante pensar que somos governados por determinações das quais mal temos consciência. Uma discussão interessante a esse respeito se levantou, quando se aprovou em São Paulo a lei limitando o uso do tabaco em público. Muita gente a questiona de uma forma maiota, mas, na verdade, o que a lei proíbe é que o indivíduo terceirize a sua fumaça. Não se proíbe ninguém de fumar, mas de fazer o outro aspirar o seu fumo.

Cortella – A proibição visa evitar que não fumantes sejam constrangidos pelos fumantes.

Janine – Mas há gente que questiona: "A lei pode me impedir de fazer mal a mim? Pode determinar que eu não fume porque isso fará mal à minha saúde?". Ora, sinto vontade de responder: "Mas quem disse que você escolheu *tão livremente* fumar? Quem disse que não houve uma propaganda maciça para levar você a escolher fumar (ou a escolher comida gostosa, escolher engordar)? Que liberdade é essa?". Você tem razão, Mario, quando afirma que somos alvo de *n* constrangimentos. Por isso, penso que a resposta ideal à sua primeira pergunta poderia ser: A política seria uma maneira de lançarmos luz sobre essas teias invisíveis que nos dominam e tentarmos controlá-las.

Cortella – A política é vista aí como convivência coletiva mesmo. Quando se poderia imaginar que o conjunto da sociedade aceitaria a interdição do uso do tabaco em determinados espaços? Ou mesmo a limitação do uso dos carros particulares em algumas cidades em dias e horários específicos, ou ainda de fazer ruído a partir de determinada hora, mesmo que moremos cada um em sua própria *domus*, ou seja, em sua casa? Mas a questão é que não temos *domus*, só temos *con*-domínios. Viver é *con*viver, seja na cidade, ainda que em casa ou prédio, seja no país, seja no planeta. A vida humana é *condomínio*. E só existe política como capacidade de *con*vivência exatamente em razão do condomínio. Daí o indivíduo pergunta: "Mas e meu direito de sair com meu carro quando quiser, ou de fazer ruído até a hora que eu desejar?".

Outro dia, eu voltava de Campinas para São Paulo pela rodovia dos Bandeirantes, e na frente havia um caminhão-baú, desses fechados e grandes, ostentando, na traseira, aquela frase obrigatória para algumas empresas: "Como estou dirigindo?". Mas ele deu sequência à frase, assim: "Como estou dirigindo? Mal? Dane-se, o caminhão é meu". Essa lógica "do caminhão é meu" significa "eu faço o que quero, sou livre". Ora, esse exercício da liberdade como soberania é algo que se aproxima da ideia da *idiótes*. Não sou soberano. Entretanto o indivíduo afirma: "Eu sou soberano sobre mim mesmo". Mas ser soberano sobre si mesmo não é política. Ou será que é?

Conviver: O mais político dos atos

Janine – Retomando sua questão, Mario, acho que alguns hoje entendem liberdade e direito como uma propriedade ou como um objeto de consumo. Por essa razão, o indivíduo reivindica o direito a fumar, a viver sua sexualidade, ou seja o que for, mas a partir de uma visão consumista. Como é dono do carro, pensa que o utiliza como quiser. Como tem o direito de votar, acha que se trata apenas de uma questão de consumo. Nos dois casos, tende a pensar que são direitos sem obrigações.

Isso reduz muito o alcance do direito e da justiça, porque nas ideias de direito, justiça e liberdade está embutido, ainda que indiretamente, certo sentido de *dever*. Quando compro um produto, de fato tenho sobre ele o poder de usar e não usar, até de jogá-lo fora. Mas os direitos ligados à vida em sociedade estão ligados a obrigações. O indivíduo não pode ter direitos se não cumprir certos deveres. Tanto isso é verdade que pode perder o direito à liberdade de movimento – e, em algumas sociedades, até o direito à própria vida –, dependendo do crime que cometer. Se não for capaz de viver em sociedade, ela pode, desde que por meio de um processo legal, concedendo-lhe todo o direito de defesa, tirar sua liberdade. Esse lado complexo da liberdade é mais difícil de ser entendido. Vivemos numa sociedade em que o consumismo chegou ao ponto de entender os próprios sentidos jurídicos – como direito, dever e liberdade – enquanto objetos de consumo. Então, é muito fácil uma pessoa dizer: "Faço isso porque quero, porque tenho".

Uma vez encontrei um homem reclamando no aeroporto... Ele ia passar pela alfândega e dizia: "Acho que uma pessoa, com o dinheiro que ganhou, deveria poder comprar o que quisesse no exterior". Argumentei: "Tem razão. Mas o senhor já pode comprar o que quiser! É só pagar o respectivo imposto". Ele ficou chocado, pois na verdade o que ele queria não era apenas comprar, mas comprar sem pagar à sociedade os tributos correspondentes. Ora, a sociedade arrecada impostos de acordo com a atuação de cada cidadão. Se levarmos longe esse modo de pensar dele, e de muitos outros, ocorrerá a destruição completa da ideia de imposto, da ideia de voto, da ideia de construção de um espaço público.

Cortella – Muito pertinente sua reflexão. Mas permita-me voltar um pouco à noção de condomínio. As noções subjacentes a esse termo – dominar, *domus*, domar, domesticar – são todas apropriadas e válidas também no campo da política e da educação. Ao imaginarmos a vida em condomínio, já pressupomos que há regras, deveres. No campo do direito condominial, a propriedade de cada condômino é chamada "unidade autônoma". Veja que, curiosamente, a legislação denomina cada apartamento de unidade autônoma, não de unidade soberana. Tem bastante sentido isso, pois a palavra soberano vem do latim *superanus, super (sobre)*, aquele que está acima de todos e não se subordina a ninguém. Autonomia, por sua vez, a partir do vocábulo grego *autós* (por si mesmo) e *nómos* (o que me cabe por direito ou dever) indica limites oriundos da vida em meio a outras pessoas, também elas autônomas. Existe uma convivência, num condomínio, que exige participação em determinadas situações. Penso, Renato, que às vezes encontramos indivíduos que não vão às reuniões de condomínio, por exemplo, porque não gostam, porque são reuniões chatas, ou porque há gritaria. Ora, não ir é um ato político, pois também a omissão política, ou seja, a recusa em participar da vida pública em qualquer instância, é uma decisão política. Vale tanto para um condomínio quanto para a inserção nos rumos da cidade, do estado, da nação e do planeta.

Janine – Às vezes, a participação ou a omissão afetam até mais diretamente nossas vidas.

Cortella – Sem dúvida. Há uma frase de que gosto muito e que, para mim, é a expressão da presença política: "Os ausentes nunca têm razão". Embora pudessem estar com alguma razão, eles a perdem pelo fato de se ausentarem. Creio que a ausência é idêntica tanto no campo da política, como na vida pública ou em uma reunião de condomínio. Reuniões de condomínio geralmente são desagradáveis, conheço poucas pessoas que sentem prazer em participar delas (exceto por algum obsessivo, além do próprio síndico), mas elas são indispensáveis para o bem comum e, portanto, exigem a presença de todos os interessados. Aliás, aproveito para chamar a atenção para esta outra palavra, síndico, originária também do grego antigo – *diké*, que significa "justiça". Portanto, o termo *síndico* (*syn+dikê*) expressa a ideia de alguém que se junta a outro(s) para pedir justiça. Assim como *sindicato* significa aqueles que se juntam para defender interesses comuns, para fazer justiça, o síndico é o representante de um grupo que vai agir para conquistar a justiça. Será possível alguém imaginar que o indivíduo seja síndico de si mesmo?

Janine – De forma alguma. Mas vou concordar e discordar de você ao mesmo tempo.

Concordo quando você conduz a questão política do abstrato para o mais cotidiano, o que é muito importante. Você não está falando de política só no contexto do Estado: quando elegemos o presidente, escolhemos a economia; quando elegemos o prefeito, focalizamos a cidade que queremos. Aliás, esta segunda escolha tem até um impacto mais direto sobre nossas vidas do que a do presidente. Mas, para além disso, você pensa no condomínio, na relação com as outras pessoas; podemos estender o raciocínio e incluir as relações familiares, as amizades. Tudo isso é político, concordo com você.

Em contrapartida, discordo, quando noto uma exaustão disso tudo, um esgotamento. A questão é que muitas vezes estamos nos esgotando da democracia antes mesmo de completá-la.

Cortella – O que exatamente você quer dizer com "esgotamento"?

Janine – No sentido de cansaço: "Não quero, cansei". Nota-se esse cansaço mundialmente. O que mais expressa tal cansaço em relação à grande política, à política dos partidos e do governo é a percepção da corrupção. Ou o desencanto, a perda de esperança. Não sei se vou ver o Brasil como um país justo. Quero viver ainda muitos anos, mas não sei se vou ver o Brasil como hoje é a Espanha, para dar um exemplo. E noto, na sociedade, um desânimo com a possibilidade de termos um Brasil honesto, correto.

Durante muito tempo pensei: "Temos de injetar sangue novo, revigorar os ânimos, lutar para que as pessoas compareçam às reuniões de condomínio, para que elas participem". Hoje, questiono esta crença. Eu me pergunto se não estamos diante de uma mudança de mundo. O que a democracia podia trazer, pelo menos para uma boa parte do mundo ocidental – ressalvando, sobretudo, o mundo islâmico que tem sérios problemas com a democracia, principalmente no que se refere à condição da mulher –, ela trouxe. Porém, parece que chegamos a um ponto de saturação na política. Não a saturação no sentido de ter completado, de ter chegado à plenitude, de termos uma democracia completa. Ela não está completa. Mas parece que as pessoas se cansaram. E minha dúvida quanto a esse cansaço da política é se ele pode ser superado, se é possível começar uma nova vida e fazer com que a política volte a ser (ou se torne) divertida, animada, interessante – ou se ela encerrou realmente a sua, digamos, missão histórica.

A política como pulsão vital

Cortella – De fato, perturba muito hoje imaginar que o desencanto, em vários momentos um desalento, sugira menos um esgotamento das formas arcaicas e mais uma crise mais definitiva da própria dinâmica de fazer política, como você refletiu antes. Pensando na sociedade atual, pode-se observar que diversas formas de controle ganharam terreno. Naturalmente a convivência exige algum grau de constrangimento individual, ele é necessário para a vida em sociedade, mas há épocas em que isso se intensifica.

Janine – Isso se deve principalmente à mudança de cenário ocorrida no mundo em nossa história recente. Na década de 1980 assistimos a dois acontecimentos incríveis: o primeiro é que o continente americano quase inteiro tornou-se democrático. Antes, nas Américas a democracia estava nos seus três países mais ao norte e poucos mais; mas nos últimos 30 anos a América Latina se livrou de quase todas as ditaduras. O segundo diz respeito à Europa. Até então, só uma parte da Europa era democrática; aí, subitamente, a Europa de Leste também se democratizou. Caíram as ditaduras de direita na América Latina, caíram as ditaduras ditas de esquerda da Europa Oriental, e passamos a ter ao menos três continentes amplamente democráticos, incluindo a Oceania, mais uma parte razoável da Ásia... A democracia não está mais concentrada no Atlântico Norte. Enfim, foi uma mudança radical.

Cortella – Radical, sem dúvida. E penso que vale ressaltar que, quando você menciona a ideia de certa exaustão da participação política pública, você tem em mente algo que vai além da ação política privada. Devemos lembrar que referir um passado ocorrido há 20 ou 30 anos pressupõe uma geração vivendo uma realidade bem diferente. Os jovens das últimas décadas nunca tiveram um "horizonte adversário". E, por não terem um horizonte adversário, faltou-lhes aquilo que podemos chamar de *utopia*, no sentido em que **Eduardo Galeano** utiliza a ideia, quando define: "A utopia está lá no horizonte. Me aproximo dois passos, ela se afasta dois passos. Caminho dez passos e o horizonte corre dez passos. Por mais que eu caminhe, jamais alcançarei. Para que serve a utopia? Serve para isso: para que eu não deixe de caminhar". Nós tínhamos um horizonte adversário.

Janine – O horizonte, para você, é uma meta ou um impedimento (ou as duas coisas)? Porque ele pode ser uma coisa ou outra. Em Galeano, parece que é meta, mas você fala em horizonte *adversário*.

Cortella – Horizonte é mesmo meta, aquilo que miro. Quando quero alcançar algo, preciso lutar para isso, em vez de ficar aguardando. É meu adversário quase na expressão grega de *agonía* (luta ou aflição), na qual preciso ser protagonista e ter um antagonista.

Não é casual que haja uma presença política no mundo islâmico: quem é o horizonte adversário da juventude que participa, que vai para a rua? O Ocidente infiel, capitalista, o modo ocidental. Ou seja, é uma juventude que tem um impulso. É impossível pensar a Palestina sem pensar a política do menino de dez anos que joga pedra no soldado israelense.

Essa lógica foi retirada da maioria de nós, também no sentido positivo da expressão, porque conquistamos uma situação social de maior equilíbrio entre as forças. Ao perdemos essa perspectiva do adversário, daquele que desperta nosso instinto de defesa, deixa de haver aquilo que, em psicanálise, é conhecido como *erotização da política*. A gente repetia, brincando com os escritos do psicanalista **Roberto Freire**, que "sem tesão não há solução nem revolução".

Vários autores dessa época entendiam a política como uma *pulsão vital*, para usar o termo freudiano. Ou seja, nós nos mantivemos vivos nos últimos 200 anos por uma pulsão vital. Se no século XVIII europeu essa pulsão foi a discussão sobre a liberdade de pensamento, com o surgimento da figura do livre pensador, no século XIX, foi a aventura: por exemplo, chegar à cabeceira do Nilo. O comandante **FitzRoy** tinha 24 anos quando comandou o Beagle, e **Charles Darwin**, 20 anos. Os exploradores que chegaram ao Polo Sul e ao Polo Norte

– locais que eram seu horizonte adversário – trabalhavam em uma sociedade que estava consolidando um movimento com outra perspectiva. E, para citar um exemplo pessoal, você, Renato, e eu, como outros que têm mais de 40 anos de idade hoje, vivemos uma pulsão vital que era a política. Ela levava a namoros, convivências, casamentos, parcerias, ou mesmo a adesões estéticas. Pensemos em **Jean-Paul Sartre** na França, há quase 40 anos, na frente de uma passeata, de braços dados... Tudo isso tinha então um sentido diferente, tratava-se do engajamento da filosofia. Embora não fosse todo o conjunto da sociedade, ali estava presente uma coisa que irradiava vida, a própria pulsão vital. Acho que você, Renato, está absolutamente certo: o alcance do horizonte tirou a procura.

Janine – Nós nos aproximamos muito do horizonte... Tivemos um inimigo, que era a ditadura. Se quisermos manter a imagem da utopia no horizonte, ou seja, do caminhar *numa direção*, por outro lado também caminhávamos para *sair* de determinada situação. Hoje, uma pessoa com menos de 40 anos não tem noção do que foi a ditadura. Atualmente, a expectativa de vida no Brasil é de 74 anos; há um século, era pouco superior a 30 anos. Deixamos de viver sob a ditadura há 25 anos e nos últimos anos desse regime já havíamos conquistado boa dose de liberdade de expressão. Esse prazo de tempo é quase a esperança de vida de uma pessoa há somente um século... Para nós, que temos mais idade, essas duas ou três décadas passaram rápido. Mas o que me choca é ver, às vezes, o descaso de alguns alunos jovens pela democracia: como quem tinha menos de 15 anos não sentia o peso da repressão, e esta foi se reduzindo gradualmente desde 1973, então há pessoas – inclusive maduras – no Brasil que não têm idéia do que foi o regime liberticida e, por isso, algumas delas não têm noção de quanto custou a liberdade, de quão preciosa ela é.

Cortella – Como se ela fosse uma obviedade.

Janine – Exato. O grave é que já ouvi dizer: "Seria melhor ter uma ditadura franca e explícita do que essa democracia hipócrita". É gente que nunca viveu numa ditadura. A democracia tem vantagens que podem passar despercebidas. Vou contar uma pequena história pessoal: de 1972 a 1975, morei na França, como bolsista. Voltei ao final desse período para dar aula aqui no Brasil. Nos primeiros tempos após o meu retorno, uma operação policial frequente era a revista de carros nas ruas. O indivíduo de repente topava com uma fila de carros que iam sendo parados e revistados, em busca de material dito subversivo. Isso era algo normal, a que eu já estava acostumado. Um dia me dei conta de que fazia quase um ano que aquilo não acontecia. Não percebi no primeiro dia, na primeira semana, no primeiro mês. Mas houve um dia em que me surpreendi ao notar que fazia um ano que eu não via nada parecido.

O que depreendo disso? Penso que a liberdade é algo natural para o ser humano. Há quem não esteja de acordo com essa afirmação, alegando que se trataria, na verdade, de uma questão cultural, mas continuo acreditando que sentimos a liberdade como natural – tanto é assim que não a percebemos quando está presente, mas logo nos damos conta de sua ausência. Isso acontece em vários campos: muitas vezes não notamos o que temos de positivo, mas reagimos prontamente quando o perdemos. É como acontece com a saúde: podemos não perceber que estamos saudáveis, claro que com a exceção de quem faz exercícios, frequenta academia. Mas sentimos a doença com muito peso quando ela nos acomete.

Isso faz parte também, Mario, da minha dúvida quanto à nossa utopia de horizonte, se não se terá realizado, em maior ou menor medida, a tal utopia, o tal horizonte, pelo menos no continente ao qual temos a sorte de pertencer. É possível que se apresente uma bifurcação: de um lado, estaria sua proposta ("Vamos investir mais, vamos continuar nessa trilha, vamos seguir adiante"), talvez impossível de se completar; de outro, aparece a questão: Não estaria o mundo tomando outro rumo, outra direção?

Cortella – Aqui novamente tomo por referência o mundo islâmico da atualidade. Sem pretender fazer apologia do fundamentalismo, que seria algo estranho ao meu pensamento, nem desconhecer a ditadura em vários desses países, volto à ideia de pulsão vital, isto é, da política de participação nas ruas, no trabalho etc. – aquilo que, na década de 1970, **Nelson Rodrigues** chamou de "padre de passeata". Hoje poderíamos dizer que são os aiatolás que saem em passeata. Em outras palavras, quando essas populações se sentem ofendidas ou consideram que houve desrespeito à figura de Maomé, por exemplo, como no caso das caricaturas publicadas eventualmente em jornais e revistas do Ocidente, insurge-se um movimento de rua. Sem intenção alguma de dar valor à finalidade em si do movimento, reconheço que existe ali algo que vibra. Tal vibração está, em grande parte, em acreditar em algo.

Acho ótima a expressão que você usou: exaustão. Exaustão de participação, exaustão do público, até mesmo certo cansaço, como em **Fernando Pessoa**: "Estou cansado, é claro...", ou ainda, como em Álvaro de Campos: "Na véspera de não partir nunca, ao menos não há que arrumar malas". Contudo, você dizia que houve um momento de sua história pessoal em que não o revistaram mais, não havia mais a opressão. Assim como já fazia alguns anos não havia mais a opressão do pai e da mãe em relação à temática da sexualidade em casa etc. É claro que não estou supondo que a opressão seja positiva, mas eu gostaria que pensássemos um pouco se a opressão é combustível.

Janine – Uma coisa que me impressionou foi o enterro de **Zhou Enlai** na China, em 1976, quando muitos chineses se manifestaram na rua pela democracia. Como até então eu pensava que os valores deste lado do mundo eram ocidentais e eurocêntricos, foi surpreendente ler nos jornais que os chineses queriam democracia, da mesma forma que hoje os iranianos também lutam por democracia. Comecei a refletir que talvez, para um soviético, a calça *jeans* não tivesse o mesmo significado que lhe atribuíam os ocidentais. Quando um soviético se entusiasmava com uma calça *jeans*, talvez ela *realmente* significasse liberdade. Uma propaganda brasileira, em plena ditadura, dizia que "liberdade é uma calça velha, azul e desbotada". Lá, efetivamente, a calça *jeans* era um emblema, entre muitos outros, de um mundo ao qual eles não tinham acesso. Talvez eles não fizessem distinção entre determinados objetos de consumo e a liberdade de expressão, mas o significado poderoso do consumo, que não pode ser amesquinhado (e que às vezes o é por aqueles que defendem ditaduras, como a cubana e outras), é que o desejo por bens de consumo pode expressar uma demanda justa por liberdade, pode desempenhar o papel de um dos conteúdos possíveis da liberdade. Em outras palavras, acredito que o anseio por liberdade é natural ao homem ou a muitos homens, mesmo que o conteúdo desse anseio possa ser diferente conforme as culturas, valores e desejos.

Qual será o combustível para isso? Se o indivíduo se sente mais animado para lutar pela liberdade quando vive sob a opressão, enfrentando dificuldades para realizar o que quer, do que quando está à vontade, do que quando encontra as coisas já prontas, é algo a ser pensado. Enfim, quando o jovem ou a jovem não tem de enfrentar o pai para transar com a namorada ou o namorado, quando o indivíduo não tem de enfrentar a Igreja para se expressar livremente, é possível...

Cortella – Acho que é aí que está o gancho! Quando você dizia que havia uma bifurcação, para mim, o gancho do novo que se pode construir na educação, na política, na atividade de convivência se concretiza justamente em conseguir fazer da política uma pulsão sem a necessidade da opressão, isto é, sem que precise haver um adversário.

Janine – Entendo. Sem que seja algo reativo, um ato de defesa. Quer dizer, saímos da legítima defesa e entramos na proposta de uma coisa nova.

Corrupção causa impotência?

Janine – E como você acha que seria essa coisa nova, de que falávamos há pouco, Mario?

Cortella – Creio que temos três fontes de novidade hoje. Em relação à política, observamos uma atitude de desprezo, de asco ou nojo e ainda uma atitude de tédio. Considero que, na atualidade, predomina uma visão de desprezo ou de asco ou de tédio em relação à participação política, no sentido contrário ao de *idiótes* como autodefesa. Dou um exemplo concreto: estávamos falando de fatos ocorridos há cerca de 20 anos. Hoje, um jovem de 25 anos está, provavelmente, no primeiro quarto de sua vida, dadas as projeções da ciência – realidade bem diferente da vivida por nós, que, com 25, já éramos vistos como pessoas de meia-idade. Agora não mais. Tenho um genro que nasceu e viveu na Alemanha até poucos anos atrás. Recentemente, no primeiro semestre de 2010, ele me trouxe um pedaço do muro de Berlim, com certificado de autenticidade, tudo de acordo com um estilo bem europeu. É uma lembrança. Aquele pedaço do muro, que está em meu escritório, é um forte símbolo político. Outro dia, um grupo de amigos do meu filho mais novo, que é jornalista, estava comigo no escritório e, ao ver o "fragmento", perguntaram o que era aquilo. Quando lhes disse que era um pedaço do muro de Berlim, eles ficaram boquiabertos.

Janine – É como se fosse a guilhotina da Revolução Francesa. Ou um pedaço da caravela de Pedro Álvares Cabral.

Cortella – Como se eu possuísse uma coisa muito antiga. E isso faz apenas 21 anos! Em psicologia, chama-se *amnésia da primeira infância* o fato de a pessoa não se lembrar de praticamente nada que lhe aconteceu até os cinco anos de idade. Isso significa que, se a pessoa tem 25 anos, ela não viveu a ditadura, as opressões e, portanto, não pode ter memória dessa época. Eu gostaria de trabalhar com você essa ideia: penso que há um tédio pela política, e esse tédio vem também porque nós, adultos, inclusive na escola, não conseguimos fazer com que o jovem se encante com a política sem contar com a presença do adversário, do inimigo. Existe um asco pela política, pois ela é associada à política partidária dos acordos espúrios e da corrupção, e existe um desprezo por se supor que política é uma coisa menor. O que me parece estranho é que em 2 mil anos, nós, no Ocidente, tenhamos transformado a concepção de política – que era o ápice da vida humana – de tal modo que hoje se entenda a vida política como safada e político como pilantra. Portanto, a mais nobre atividade da Antiguidade no Ocidente, da nossa mãe greco-romana, que era a política, passou a ser uma atividade considerada, agora, vergonhosa.

Janine – Mas, Mario, cabe aqui um contraponto: quando nos referimos à democracia antiga, que foi notável em Atenas e Roma, estamos falando de algumas dezenas de milhares de pessoas numa população global de dezenas ou talvez centenas de milhões. Enfim, a democracia antiga foi limitada. Além disso, tenho lido muito sobre o final da República romana, e as décadas que antecederam o golpe de Estado de **Júlio César** foram caracterizadas por muita corrupção.

Mas, seja como for, volto à minha questão hiperquantitativa: "nunca antes na história deste mundo". Nós passamos de uma Antiguidade em que talvez um habitante por mil vivesse numa democracia (talvez até menos, se levarmos em conta que nessas democracias não tinham cidadania as mulheres, os escravos, os estrangeiros) para um contexto em que metade do mundo vive em ambiente democrático, e a expansão das democracias parece estar continuando.

Por um lado, essa é uma história de êxito: é fabuloso que os mais jovens, que não viveram a ditadura, possam crescer sem ter sofrido isso na carne, possam abrir uma nova página na vida e na história. Por outro lado, há o elemento da corrupção, que se tornou fortíssimo. Defendo a ideia de que a corrupção não aumentou; ela só está sendo mais percebida. Acredito que, quando tínhamos ditadura e obras em concreto, era enorme a corrupção. Como temos, hoje, muito menos obras em cimento – parece que cimento atrai comissão, atrai propina –, como existe mais transparência, a denúncia é maior.

A corrupção é o que há de mais antirrepublicano, porque vai na jugular da *res publica,* põe em xeque a coisa pública e o bem comum. Isso é paradoxal: exatamente no regime democrático, que significa "poder do povo", muitos cidadãos se sentem sem poder para vencer a corrupção. A maior percepção da corrupção e a consequente aversão que ela provoca, que são dados positivos, trazem junto uma sensação de impotência.

Cortella – Em vez de se transformar em combustível.

Janine – Exatamente. Praticamente criamos uma sociedade paralela. Existe o mundo do bem: o cidadão paga o seguro-saúde, paga seu transporte individual e a escola do filho, além do imposto que paga para ter serviços públicos que não usa. O que de público usa um cidadão de classe média? O asfalto – e a universidade pública, com a pesquisa que ela faz e eventualmente melhora nossa vida. Um pouco do serviço policial, que protege alguma coisa das pessoas... Pouco, muito pouco. Assim ele paga isso duas ou até três vezes, porque, quando precisa de um bom médico, eventualmente vai consultar um que não é de seu convênio. A energia e o trabalho que estão sendo aplicados, inclusive pelos *ongueiros,* para construir um mundo mais justo, é capaz de minorar os males gerados pela ineficiência do Estado. Mas ainda não foram capazes de tomar conta do Estado. Meu sonho seria unir essas centenas de milhares de brasileiros que fazem algum tipo de voluntariado, que participam de algum tipo de ONG. Vamos esquecer em quem eles votam, qual sua religião e até sua linha política e juntá-los para trabalhar. Poderíamos colocá-los no governo, pois é gente que aprendeu a resolver coisas, que aprendeu a lutar para resolvê-las. É fabuloso o que está sendo construído! Fabuloso não é tanto o que eles fazem (o número de crianças que saem da miséria, que ainda é insuficiente), é o fato de fazerem, de aprenderem a agir sem o governo mandar. É isso. Mas, por enquanto, estamos na transição.

Cortella – Esse é o desafio. Concordo com você quando diz que não podemos esperar, por exemplo, que as novas gerações tenham lembrança e memória de uma realidade que não viveram. Certamente não é o caso de nós, com mais idade, exibirmos cicatrizes como quem diz: "vejam como sofremos", ou "nós é que lutamos para vocês terem democracia". Não é uma questão de martírio, a lógica é outra. Esse é meu desafio na qualidade de educador: como seduzir as novas gerações a fazer política sem que os jovens necessitem de um adversário externo, mas estejam imbuídos de uma compreensão ética? Como trabalhar a ideia de política para que ela seja entendida como o ápice da virtude do humano? Também não mitifico, claro, a democracia direta grega, não acho que ela seria a solução. Considero sedutor o conceito de política entre os gregos, não sua prática de democracia. E com todo o avanço que alcançamos na concepção e na participação – a presença feminina, do estrangeiro, entre outros grupos –, nós ampliamos a democracia a um nível inédito.

No entanto, exatamente quando temos condições que serviriam de terreno fértil para que a ideia de política se propagasse, há uma inversão do conceito aristotélico de *zoon politikon*, o homem político de **Aristóteles**, pois passamos a tomar o homem "apolítico" como *homem de bem*. Se para esse pensador grego o homem de bem era aquele que participava da política, vê-se que hoje prevalece a imagem oposta em frases do gênero: "Ele é um homem de bem, nunca se meteu em política". Ora, esse nojo, esse asco lança o desafio para mim, como educador, de imaginar como é que vamos dar outro passo.

Janine – Podemos ainda repensar o tema em termos de laços sociais: de que maneira estabeleço laços, não só os políticos, com as pessoas, até com aquelas que nunca vi? Sou concidadão de 190 milhões de pessoas que não conheço, exceto um número ínfimo dentre elas. E os laços sociais se enfraqueceram muito, pois a autonomia e as possibilidades de escolha de cada indivíduo concorreram para tornar as relações mais frágeis e vulneráveis. Esse é um ponto importante no que você dizia: em que medida conseguimos estabelecer uma relação de prazer na companhia alheia, de convívio e crescimento com o outro.

Esses eram elementos fundantes do *zoon politikon*. Os atenienses iam para a praça de decisões políticas, a ágora, em média uma vez a cada nove dias. A cada dois anos nós vamos às urnas uma só vez, por ocasião das eleições; nesse mesmo espaço de tempo, eles teriam ido a umas 80 assembleias. Não era todo mundo que marcava presença, pois o comparecimento não era obrigatório, embora em Atenas houvesse um pagamento para o cidadão que assistisse à assembleia. Mas esta comparação suscita uma pergunta curiosa: como é possível que eles tivessem prazer em ir 80 vezes à ágora, quando hoje tantos se queixam de ter que votar uma vez a cada dois anos? Aquilo devia ter um efeito muito mais concreto na vida das pessoas, devia mexer mais com elas. Mas mexia em quê? Havia prazer em ouvir um discurso, a retórica era um prazer? Certamente. O indivíduo sentia que sua vida estava em jogo? Também suponho que sim. E você, Mario, frisou algo muito importante: a democracia ateniense continua a ser uma espécie de farol para nós. Sabemos que temos direitos humanos que eles não tinham, que atingimos uma prosperidade econômica que eles não conheceram; porém, ao falar de democracia, é muito difícil não sentir que somos menos que os atenienses. Nós acreditamos que houve progresso em praticamente tudo, menos em relação à democracia existente em Atenas. Isso é interessante.

Cortella – Progresso nem sempre direciona para o melhor. É curioso porque em 2009, na comemoração dos 200 anos de Charles Darwin, falou-se muito em evolução. Contudo, como você sabe, ele nunca usou a palavra *evolução* no sentido de melhoria. Quem a usava assim era **Herbert Spencer**. Darwin usava a palavra *evolução* no sentido de mudança. Há uma imagem clássica nos livros escolares, que todos conhecemos, que propaga essa concepção: vê-se a representação do primata (o símio, o macaco) e uma linha "de sucessão": o *cro-magnon*, o homem das cavernas, o greco-romano, o medieval, depois o homem de cartola até chegar ao homem de terno e óculos de hoje. Do ponto de vista dos direitos do cidadão, da expansão da liberdade individual, do acesso à informação, tivemos uma mudança para melhor. Mas, no que se refere à percepção da importância da política, acho que tivemos uma mudança negativa, um movimento de desenobrecimento da atividade política, o que entendo como negativo do ponto de vista da sociedade. Isso me leva de volta à frase que já citei: "Os ausentes nunca têm razão".

Darwin usava a palavra evolução no sentido de mudança tal como se usa em medicina. Quando alguém morre, anota-se no prontuário: "evoluiu para óbito". Um câncer pode evoluir, assim como um problema ou como a corrupção se desenvolve. Desse ponto de vista, acho que, para nós ocidentais, a política grega é de fato iluminadora, algo que nos ajuda a pensar. Sua importância é dada muito mais pela intenção de enobrecer a nossa capacidade de convivência do que pela prática das assembleias em si mesmas.

Quem deve ser o dono do poder?

Cortella – Sabe, Renato, fiquei pensando no que você disse sobre a frequência das assembleias e fiz algumas associações de ideias. Será que não havia ali um componente metafísico, de salvação? Isto é, será que os cidadãos iam às assembleias porque, além de seus interesses, os deuses também o desejavam? Posso estranhar que alguém vá a cada nove dias a uma assembleia, mas não vou achar necessariamente estranho que alguém vá à igreja toda semana, ou às terças, quintas e sábados. Enfim, não haveria implícita a ideia de uma *ekklesia* (só para usar o vocábulo grego para *reunião*, o qual deu origem à palavra igreja), uma comunidade de fé, de uma assembleia como eclésia? Qual é sua visão a esse respeito?

Janine – Não sei qual era a pauta usual das assembleias atenienses. O comparecimento a elas era bem variável: ora iam mil pessoas, ora 10 mil. Nem todos compareciam a todas as assembleias. Mas concordo que o ingrediente religioso era poderoso na vida pública de Atenas e Roma. Uma assembleia romana não se realizava se os augúrios não fossem propícios. Havia algo de sagrado nessas reuniões políticas.

Cortella – Por que estou pensando isso? Porque me parece que há aí um componente de metafísica, no sentido de algo que é um impulso externo ao humano na direção de uma completude do humano: a política como arte que nos faz humanos. E, ao nos tornar humanos, separa-nos – como queria Aristóteles – dos outros animais, de acordo com sua lógica de gênero próximo, diferença específica. Explico: Aristóteles tinha uma fórmula para poder dar uma definição que era "gênero próximo, mas diferença específica". Essa fórmula o ajudava a dar definições no campo da linguagem. Gênero próximo: humano; diferença específica: racional. Gênero próximo: humano; diferença específica entre os humanos: político. O contrário disso é o idiota – que, portanto, é menos humano. Aquilo que **Marx** chama de "humanização da vida e do trabalho" e que na mensagem religiosa se interpreta como o tornar as pessoas mais humanas, é isso que estou tentando traduzir agora em política. O que nos torna mais humanos é justamente a capacidade do exercício da política como convivência e como conexão de uma vida. No livro *Nos labirintos da moral,* **Yves de la Taille** citou a clássica definição de ética de **Paul Ricoeur**: vida boa, para todos e todas, em instituições justas.

Janine – Mas esta é a questão: hoje existem sociabilidades intensas, mas parciais. As pessoas conseguem se reunir e se entusiasmar com movimentos de reivindicação dos direitos dos negros, dos *gays*, das mulheres, entre outros. Mas o que caracteriza essa sociabilidade intensa de hoje? Eu diria que uma certa relação de espelho: o indivíduo se reúne com pessoas parecidas com ele: pessoas que são ricas como ele no Clube São Paulo, por exemplo, ou pessoas que são *gays*, ou feministas, ou petistas. Ora, o interessante na assembleia ateniense – embora seus membros certamente fossem bastante parecidos entre si, porque havia menor diversidade de condutas do que hoje em dia – é que ela estava no centro do poder. Não se tratava de um segmento da população de Atenas. Eles eram os detentores da soberania ateniense. Mas isso seria muito difícil no mundo contemporâneo. Como poderíamos denominar isso hoje? Naquela época havia realmente o *demos*, enquanto hoje existem vários pequenos *demoi*, vários grupos na sociedade que funcionam quase como o *demos* ateniense. Militantes são assim: eles atuam, participam, vão a todas as passeatas e tal, mas são apenas um grupo, uma proporção mínima da sociedade. Algo que ilustra esse ponto são as assembleias de associações docentes e de funcionários na universidade, nas quais geralmente só comparecem os que estão de acordo. Viram amigos, até fazem festas. Mas quem discorda não vai à assembleia nem à festa! Então, a dificuldade que enfrentamos é conseguir estabelecer um laço social entre todos os membros da sociedade, pelo menos um laço social forte a ponto de permitir o exercício mesmo da democracia. Porque, se nos reunirmos só com quem é parecido conosco, não desenvolveremos as potencialidades da democracia, do convívio e do aprendizado com quem é diferente de nós – e o laço social ficará pobre, como acho que ficou. Fui recentemente a um jantar com umas 40 pessoas e provavelmente nenhum presente votava na direita, nenhum tinha uma fé religiosa intensa; e por aí vai... Que sociedade é essa?

Cortella – É muito do mesmo.

Janine – Precisamente, convivemos com gente muito parecida.

Cortella – Mas isso não me surpreende. Por exemplo, é muito comum encontrarmos as mesmas pessoas nos mesmos locais; quase sempre as vemos em determinado cinema ou restaurante. Há certa identidade de participação que dá origem a um sentimento de ligação. Por isso eu falava do metafísico há pouco. Ou seja, algo nos conecta. Essa conectividade é o que leva alguns a frequentarem o *facebook*, a seguirem um semelhante no *twitter*. É interessante porque hoje se supõe que a política se faz nessas redes de relacionamento – os quais, por sinal, ainda são muito superficiais – e nessas redes o indivíduo consegue ser seguido. *Tweet* aqui e *tweet* ali, a pessoa é seguida e, assim, se sente participante.

O campo dessa participação, em minha opinião, lembra um pouco o que dizia o teólogo **Agostinho**: "Não sacia a fome quem lambe pão pintado". Tudo isso me faz supor que estamos no campo das aparências; sem ser platônico em excesso (como Agostinho o era), a verdade é que há certa satisfação na aparência. O fato de alguém estar numa ONG ou pertencer a um grupo que organize uma *mob* [mobilização] dentro do metrô com todo mundo pelado não significa que a pessoa está interferindo na sociedade. Significa que ela está fazendo um *happening*, um evento. Como estamos em uma cidade *eventual*, será que não acabamos deixando de lado a política como história para trabalhar a política como *evento*, como fragmento?

Janine – Acho que sim. Há um ponto crucial para mim, que foi também uma experiência pessoal marcante. Eu tinha 18 anos em 1968 e aquele foi meu único ano de vida política livre. Foi intenso meu primeiro ano na Faculdade de Filosofia da USP, na rua Maria Antônia, em São Paulo, mas, em dezembro daquele ano, a ditadura baixou o Ato Institucional n. 5, o AI-5. Dois ou três anos depois fui para a França e fiquei pasmo de ver que lá as mobilizações, as reivindicações e os protestos davam resultado. Até então eu estava convicto de que tudo isso não levava a nada. Como alguém ia fazer uma passeata contra o governo de direita, embora democrático, na França, e ser bem-sucedido? Mas a verdade é que nem sempre, mas muitas vezes, se conseguia alguma coisa.

Penso que, para estimar a política, é importante a ação ser eficaz: o indivíduo precisa sentir que sua iniciativa tem um retorno, produz algum resultado. Se ele nunca tiver uma resposta positiva, acabará desistindo de agir. Se frequentar assembleias para sempre ser derrotado, desistirá de comparecer – a não ser que tenha uma mentalidade de testemunha ou de herói.

Há algo curioso na dimensão política mais ampla: por um lado, as pessoas não sabem exatamente o que esperar da política – talvez devesse ser uma vida boa no quadro de instituições justas, mas nem mesmo essa noção se faz muito presente. Por outro lado, sentem que os resultados obtidos são limitados – talvez nós, brasileiros, esperemos os resultados num certo estilo que ainda lembra **Getúlio Vargas**: benefícios sociais que melhoram a vida do indivíduo, mas sem empoderá-lo. Ele ganha benefícios, mas não se torna sujeito de suas escolhas. Penso que, desde a democratização, em 1985, tivemos uma sequência de avanços sociais. Entretanto, não notei propriamente crescer a sensação de que as pessoas sejam senhoras da própria vida, coletivamente. E isso é muito negativo.

Cortella – A sensação de que elas são beneficiárias.

Janine – Exato.

Cortella – Nesse sentido, uma grande diferença entre nós e os norte-americanos é que eles construíram uma sociedade – independentemente de qualquer sentimento de admiração pelo conjunto da obra – fundamentada em alguns elementos centrais da democracia e da liberdade, e estas são marcadas pela ideia do cidadão público, e não do cidadão privado. Parece contraditório falar em cidadão privado, mas estou me referindo ao cidadão como indivíduo, e não usando o termo na acepção francesa. O enfoque norte-americano, por exemplo, é diferente do nosso inclusive pelo modo como dialogamos. Se um brasileiro e um americano estiverem num confronto, o diálogo que travam tem um quê de insano, porque enquanto o brasileiro diz "Você sabe com quem está falando?", o americano pergunta *"Who do you think you are?"* ["Quem você pensa que você é?"]. Esse tipo de relação é um confronto político em relação a formações nacionais, de história. O brasileiro se coloca na condição de beneficiário do Estado e não como agente do Estado. Já o norte-americano, quando confrontado com um agente do Estado (alguém do governo, por exemplo), ele declara: "Eu sou cidadão. Eu pago imposto".

Nós começamos a utilizar essa frase nos últimos anos, mas até pouco tempo atrás essa ideia não nos era familiar no Brasil. A diferença cultural de visão fica evidente, para mim, quando tento explicar, em debates com americanos ou pessoas de outras nacionalidades, o que entendemos por cidadania no Brasil. Percebo que o conceito não fica muito claro. Já me perguntaram: "Mas por que vocês estão lutando por cidadania plena? Vocês não têm democracia?". Acontece que nosso conceito de cidadania não se esgota na democracia como ato de votar e ser votado. A gente não se contenta em ser, usando um termo do **Gilberto Dimenstein**, um *cidadão de papel*. Como se poderia traduzir a palavra *cidadania* para outros idiomas? A ideia contida na palavra *citizenship* não cobre todo o significado de *cidadania*, não é tão abrangente. Para um norte-americano, cidadão é aquele que pode votar e ser votado, que tem seus direitos. Para nós, quando falamos, na política, em cidadania plena, estamos nos referindo a escola de qualidade para todos, atendimento de saúde adequado, possibilidade de trabalho digno etc. Em resumo, nós mesclamos a noção de cidadania com direitos humanos e direitos sociais.

Janine – Exatamente, Mario, direitos sociais. Não sei se você se lembra da época em que houve a democratização... Se não me engano, quando **Mário Covas** foi prefeito da cidade de São Paulo, foi estampado nos ônibus o seguinte *slogan*: "Transporte público: direito do cidadão, dever do Estado".

Cortella – Foi isso mesmo. Ele foi prefeito de 1983 a 1985.

Janine – Isso me chocava porque, na democracia, o Estado não pode ser algo externo aos cidadãos; na verdade, é como se fosse produto deles. Do meu ponto de vista, esse *slogan* serve de exemplo para a tese que você acaba de apresentar, Mario. A intenção podia ser ótima, mas indicava que o Estado deve *dar* aos cidadãos determinadas coisas, e não que o cidadão deve *construir* o Estado que forneça tais coisas. A ideia do povo norte-americano é outra. Para eles, a noção de *contribuinte*, de quem é cidadão porque paga impostos, é fundamental, ao passo que, para nós, falar nisso nos causa certa vergonha. No Brasil, temos dificuldade em construir uma ideia de cidadania que tenha uma de suas bases no pagamento de impostos. Parece coisa de mau gosto. Tentamos o tempo todo encontrar outro fundamento para a cidadania que não o pagamento de impostos. Por exemplo, o indivíduo seria cidadão naturalmente, apenas por nascer ou viver no território do Estado. Tal condição não estaria ligada a uma contrapartida, na forma de pagamento ao tesouro público. O problema desta nossa concepção, aparentemente mais generosa, é que ela não pensa que aos direitos correspondem obrigações, e que o sustento do Estado depende de nós, cidadãos. Talvez por isso, muitos pensam que o dinheiro público pode ser gasto a rodo, como se não tivesse dono, como se não tivesse custo.

Cortella – Há até um dado curioso nisso: nos últimos 20 anos, todas as vezes em que se falou em reforma tributária, no Brasil, a intenção foi a de diminuir a tributação e não de ordená-la para que se alcance maior justiça social. Algumas entidades, até de natureza empresarial, ligadas às elites, chegam a argumentar que o caixa dois é obrigatório; que, se o imposto for pago em dia, não se consegue obter lucratividade justa. Portanto, no conjunto, a ideia da presença do Estado como um arrecadador de tributos é ofensiva. Ou seja, seria uma espoliação. E isso ainda se soma à questão do pouco retorno pelos impostos pagos, um retorno abaixo das expectativas.

Janine – Pode ser por isso que muitos cidadãos, talvez a maioria, confundam ineficiência da máquina estatal com delinquência estatal.

Cortella – E são duas coisas diferentes. A delinquência estatal não está necessariamente ligada à capacidade de ação pública – na verdade, ela geralmente é consequência de incompetência ou de má-fé. Vale lembrar que o Brasil não é um dos países de maior nível de tributação, ele está no pelotão intermediário. Mesmo que fosse, ainda assim há outras nações em que os cidadãos não têm um retorno correspondente ao que pagaram. A Itália, por exemplo, tem uma tributação alta, e o cidadão italiano não tem necessariamente um retorno na mesma proporção.

Entretanto, no meu entender, a questão é que a não participação política pública do cidadão no cotidiano facilita a delinquência estatal, e esse mesmo cidadão supõe que pode cobrar uma eficácia que não sustenta como, digamos, proprietário do Estado. É como você disse, Renato: é como se o Estado fosse uma coisa e eu fosse outra. Parece que ressuscitaram o **Gramsci** agora para separar de uma vez por todas sociedade política de sociedade civil.

Outro dia estive em um debate com empresários sobre a temática da corrupção. E um deles me perguntou: "Você não acha que a eliminação da corrupção no Brasil é uma questão de educação? Isto é, não caberia à escola formar os jovens para não serem corruptos?". Respondi: "Pode até ser, mas há um jeito mais fácil de extinguir a corrupção. Como, para existir corrupção, tem de haver um corrupto e um corruptor, e como o corruptor, de maneira geral, é aquele que tem dinheiro para corromper, basta então que este indivíduo não corrompa a outros". Do ponto de vista operacional, não é difícil. Se o empresário é aquele que possui dinheiro e a corrupção é feita com esse capital, não o utilize para fazer isso e a corrupção acaba. Pode parecer óbvio, mas o espanto é grande, porque sempre se supõe que o processo de higiene política tem de ser feito num outro lugar que não aquele em que estou.

Janine – Talvez fosse melhor explicar mais detidamente a injustiça da tributação, que você mencionou um pouco antes.

Cortella – Certo. Vejamos, são muitos os impostos no Brasil. Nossa tributação, direta e indireta, é bastante injusta. A tributação direta é sobre renda e propriedade, enquanto a indireta é sobre consumo. Aqui reside um enorme problema não solucionado pelas pequenas alterações realizadas até o momento. É preciso debater o tema nas escolas, nas igrejas etc. Os impostos diretos recaem sobre a grande propriedade, sobre a renda, há o imposto predial territorial urbano e o rural, entre outros; os impostos indiretos recaem sobre o consumo: o ICMS, o IPI etc. Vamos pensar o seguinte: se eu, Cortella, no ano de 2010, ganhasse R$ 510,00 de salário por mês, quando comprasse um litro de leite longa vida por, digamos, R$ 3,00, pagaria cerca de R$ 1,00 de tributos; se ganhasse R$ 10.000,00 por mês, pagaria o mesmo R$ 1,00 de tributo; se ganhasse R$ 100.000,00 de salário por mês, o tributo também seria de R$ 1,00. Como a maioria da população não tem renda e só está no campo do consumo, fica evidente que é essa população que é gravada com uma tributação maior e é ela que sustenta a máquina estatal.

Janine – Em síntese, a tributação indireta não é proporcional ao rendimento das pessoas. Esse é o ponto crucial. Pode até ser que, em termos absolutos, a classe média e a alta paguem mais impostos. Mas, em termos relativos, os mais pobres pagam ao fisco um percentual bem maior de seus salários.

Cortella – Exatamente. E por que estou falando disso? Meu objetivo é argumentar que o desvendamento da temática da tributação vai chegar a este ponto: a não oferta de serviço público correspondente aos impostos pagos pela grande massa pobre da população é a prática do estelionato. É o artigo 171 do código penal. Digo isso porque cobra-se por um serviço que não é oferecido ou devolvido de nenhum modo. Esse estelionato pode ser consensual da sociedade brasileira, hoje, ou desconhecido. Pois bem, nesta hora é uma questão de educação, de educar, sim, as pessoas a esse respeito – isso para mim é política! Claro, para todo o mundo isso é política, mas isso é política no sentido que estou procurando explorar aqui.

Janine – Gostaria de apresentar um viés complementar sobre o assunto. Quando se discute a reforma tributária, seja no sentido de reduzir os tributos arrecadados, seja no de tornar mais eficiente a máquina de arrecadação do Estado, o que você está colocando, Mario, é que não se discute o sentido político de quem vai pagar mais ou menos. A reforma tributária deveria incluir o fim da tributação em cascata, uma redução dos tributos, como por exemplo acontece com as microempresas, que pagam o Simples, em vez de preencherem uma lista de diferentes impostos com alíquotas variáveis. Em suma, deveria simplificar-se a cobrança e o pagamento; poderia até se implantar o imposto único sobre transações financeiras, com a vantagem de eliminar toda uma máquina de arrecadação que também é cara. Tudo bem.

Porém, o que não se discute é quem vai pagar mais e quem vai pagar menos. A questão da tributação é colocada como se fosse um problema geral. E um impostômetro, por exemplo, é apresentado como se o imposto fosse algo neutro. Ou, dito de outra forma: consolidou-se no país, nos últimos anos, a ideia de que de um lado existe a sociedade, um pelotão homogêneo de gente, e de outro lado o Estado que a extorque, mas que parece ter vindo de Marte. Ora, nós não elegemos o Estado, não somos responsáveis por ele, não colocamos corruptos ou incompetentes lá? É como se eles tivessem caído do céu ou do inferno sobre nós. E a sociedade não é homogênea, ela é atravessada por disputas, sendo particularmente importantes as que dizem respeito aos impostos que pagamos e a quem se beneficia do dinheiro público.

Isso pode ser completamente diferente. Para os norte-americanos, embora seja elevada sua taxa de abstenção eleitoral, a consciência de que foram eles próprios que escolheram o governo e de que são eles quem paga as despesas públicas é decisiva. Independentemente do que achemos do Estado norte-americano, como você dizia, esse ponto é notável nos cidadãos daquele país: eles sentem-se responsáveis pelo governo que elegeram.

Política: Encargo ou patrimônio?

Janine – Aproveitando que mencionei o tema das eleições, acho que poderíamos debater a questão do voto obrigatório. Durante muito tempo o defendi; com sérias ressalvas, mas defendi. Meu principal argumento era que, numa democracia, em que o poder é do povo, cada cidadão tem o dever de participar da construção da coisa pública. Voto não é artigo de consumo, que você compra ou não. O voto constitui a sociedade política. Mas me incomodavam os aspectos práticos da obrigatoriedade, como apresentar o comprovante de que você votou para retirar o passaporte; imagine que tive de ir uma ou duas vezes justificar minha abstenção no cartório eleitoral, o que me pareceu ridículo...

Cortella – Isso ocorreu durante a ditadura?

Janine – Não, recentemente.

Cortella – Ironia: na ditadura militar, durante quase todo o período entre 1964 e 1984, as eleições diretas foram suspensas e não se votava para presidente, governadores e prefeitos de capitais e certas cidades consideradas de segurança nacional (fronteiras, portos, estâncias balneárias etc.). Porém, entre as eleições permitidas, votar era obrigatório...

Janine – Contudo, agora começo a ver pelo menos um aspecto positivo no voto facultativo. Hoje, os votos são uma reserva de mercado. Antes mesmo de escolher, sabemos que teremos de votar. Então vários fornecedores aparecem na TV, por sinal em horário pago por nós, dizendo: "Vote em mim, vote em mim". Não precisam nos convencer a comprar a mercadoria; só precisam nos convencer a comprar a deles e não a outra. Já se o voto fosse facultativo, cada partido, além de nos convencer de que ele é melhor que os outros, teria de nos convencer também de que vale a pena votar. Provavelmente não chegaríamos a uma abstenção de 30% como em vários países europeus, nem de quase 50% como nos Estados Unidos, mas os partidos iriam se comprometer com a coisa política. Hoje, o partido tem apenas de conquistar a vaga – que já está lá. Se eles tiverem que convencer o povo de que votar é importante, terão de militar em favor da política, e não só da política deles. Terão de mostrar que a política significa alguma coisa. Hoje, quem faz esse tipo de campanha é a Justiça Eleitoral, quando deveriam ser os partidos, os candidatos. Hoje, quem explica ou elogia a democracia é o TSE e não os partidos...

Tudo isso está ligado a um problema que estamos tratando de várias formas: em que medida o cidadão se reconhece num Estado que é construção dele! Queiramos ou não, este Estado é obra nossa. É obra da nossa incúria, da nossa ausência, do ausente que sempre está errado, conforme você afirmou, Mario; é obra também da nossa atuação, da nossa má escolha. É nossa obra, o Estado não foi feito por mais ninguém. Uns anos atrás, um acadêmico português em visita ao Brasil, comentando o aniversário dos descobrimentos, disse: "Vocês brasileiros têm que parar de culpar a colonização portuguesa, porque já fomos embora há quase 200 anos. Chega de falar mal do legado português: vocês já tiveram tempo de mudar tudo". Confesso que fiquei chocado, mas depois me convenci de que ele tinha razão.

E penso que esse é um aspecto, Mario, sobre o qual deveríamos refletir: a sociedade brasileira tem uma noção bastante limitada de responsabilidade. Queremos receber as benesses do Estado, ou de quem quer que seja, sem pensar no que vamos dar ou no quanto elas custam. Deixamos a desejar no que se refere à noção de que respondemos pelos nossos atos. Enfim, meu filho vai ser, pelo menos em parte, quem eu contribuí para que ele fosse; a sociedade vai ser aquela que ajudei a construir ou contribuí para que piorasse, e assim por diante. O que você acha disso?

Cortella – Acho que a política, tal como está, é resultado de nossos atos, conscientes ou não. Visto que se faz política mesmo quando não se sabe que se está fazendo, numa sociedade de diferenças e confrontos, a neutralidade é ficar do lado do vencedor. É claro que numa disputa dentro de uma escola, por exemplo, entre um menino de 15 anos e outro de cinco, aquele que declara: "Estou neutro, não vou me meter", já se meteu. A omissão – a chamada *neutralidade* – significa apoiar aquele que obviamente vencerá. Penso que nossa sociedade tem bem acentuada essa marca: é uma falta de responsabilização, como se a coisa pública e o aparelho de Estado fossem externos a nós.

Por isso me referi anteriormente à transcendência, pois é como se o Estado fosse metafísico, transcendente. Às vezes ele é nosso céu, às vezes é nosso inferno; ora ele é nosso salvador, ora nosso demônio; é o Estado providente e o Estado punitivo. Mas a maioria da população prefere crer que não tem nada a ver com ele porque, quando surgimos, ele já existia – embora, no dia a dia, vá-se construindo esse Estado pela eleição e por tantas práticas que adotamos ou rechaçamos.

Desejo retomar um ponto que você destacou, Renato: com o voto facultativo, o partido terá de nos convencer de que "vale a pena" irmos às urnas. O que está implícito nessa expressão é a ideia de que há uma pena. A participação política tem um custo, um ônus. No fundo, a grande discussão é: Política: encargo ou patrimônio?

Estamos entre os primeiros países no mundo que admitiram a eleição para jovens de 16 a 18 anos. Aliás, quero lembrar que política não é simplesmente preto e branco – ela tem nuanças de cinza entremeadas – e que a luta pelo voto feminino no Brasil foi encabeçada pela Igreja Católica. Claro, ela não era neutra na história, pois nunca se é, mas, como boa parte do eleitorado feminino era católica e ficava fora da possibilidade de eleição, buscou-se alterar esse cenário. Em 1932, em razão da Revolução de 30 em que os liberais estavam no poder, a Igreja Católica conseguiu que o voto feminino fosse aprovado no Brasil, o que era uma maneira de ganhar mais presença – como efetivamente ganhou posteriormente.

Por que estou dizendo isso? Política é encargo ou patrimônio para mim, para o jovem, para o outro? A política de ação, não só a política do cotidiano – no condomínio, na escola, na família, no bairro, na ONG, no sindicato –, mas a política como atividade e vida pública, não necessariamente partidária, exige participação. Não fazê-la é algo que, a meu ver, indica alienação. Lembro aqui a ideia de *servidão voluntária*, de **La Boétie**. No meu entender, existe certa falta de responsabilização aparente, pois considero que se supor alheio à política é alienação, e não uma decisão consciente. Isto é, não votar pode ser uma decisão consciente, assim como anular o voto, quando tal decisão é amparada por argumentos de natureza política. Mas não ir a um debate ou a uma assembleia muitas vezes é mero sintoma de alienação, não o resultado de uma decisão consciente. Portanto, não fazer política nem sempre é uma ação consciente. E penso que a educação deve lidar com isso, especialmente a educação escolar e a que se realiza pela mídia.

Mundo da política, mundo da cidadania

Janine – Um dos pontos em que vi o Brasil melhorar, progredir mesmo, é que no nosso período de vida aumentou incrivelmente a vontade de conhecer. Quando comparo pessoas de diferentes gerações – que hoje estão com 40, 30, 20 e 10 anos –, tenho a sensação de que é crescente a quantidade de gente interessada em aprender, em saber mais. São pessoas que buscam conhecimento, querendo fazer cursos (obrigatórios ou não, com ou sem diplomas), ministrados por qualquer meio, até pela televisão ou pela internet. Mas parece que o sistema de ensino não foi capaz de acompanhar essa transformação social. Ele continua preso à ideia de diplomas, regulações etc., quando tais elementos têm se mostrado cada vez menos necessários. Há inúmeras situações que provam que o conhecimento e a formação são importantíssimos, ao passo que o diploma não o é necessariamente.

Cortella – Mas, dependendo da área, ele é necessário como certificação. Muita gente, talvez a maioria, jamais usará o diploma. Como em nosso caso, que somos da área de filosofia.

Janine – Eu pensaria em substituir o diploma por uma certificação. Penso que deveria ser exigida uma certificação bem rigorosa em algumas áreas, como engenharia, medicina, entre outras, com provas minuciosas, que tivessem grande número de questões, mas creio que talvez não fosse preciso levar em consideração se o aluno compareceu às aulas ou qual faculdade cursou. Ou poderíamos experimentar esse novo modelo justamente nas áreas que não põem em risco a vida, isto é, manter a exigência de cursos para medicina e engenharia, mas no caso das outras formações ver mais o que a pessoa sabe e menos onde aprendeu. O que importa é que ela saiba fazer...

Mas estou me desviando um pouco de nosso assunto. Enfim, acho que existe uma grande vontade de conhecer, o que é muito bom. Até porque está diretamente ligada ao que o indivíduo vai levar para sua vida pessoal. Notei isso nos programas de televisão que fiz sobre ética. Mesmo quando tratei de conteúdos abstratos, se a pessoa sente que isso mexe com sua vida pessoal, ela se mantém atenta.

Volto a uma questão que considero essencial para o tema da democracia e da política: como adquirimos ou fazemos circular insumos (no caso, conhecimento) que gerem produtos (no caso, ação) que sejam positivos? Por exemplo, de que maneira meu voto, minha militância ou minha presença em assembleias resultam em algo que seja positivo? Ou ainda: de que modo o fato de eu adquirir mais conhecimentos – lendo **Freud**, estudando **Reich**, **Max Weber** ou outros autores – contribui para tornar mais rica a vida das pessoas?

Em suma, é fabuloso que o conhecimento permita que cada um faça uma sintonia mais fina da sua vida e saiba qual é seu lugar. Esse é um dos grandes ganhos das últimas décadas. E é um ganho no qual nós dois, Mario, nos sentimos muito em chão próprio, pois foi o que possibilitou que a filosofia, que 40 anos atrás era vista como um campo de estudo agonizante – "para que ensinar filosofia?" –, voltasse a despertar interesse na sociedade. Não era só a ditadura que pregava o fim dessa disciplina. Mesmo alguns professores da USP diziam que só devíamos fazer a história da filosofia – "para que pensar conceitos novos?". Recentemente, ela voltou a ser uma área que as pessoas querem conhecer. Gente que nunca fará uma tese sobre **Kant**, mas que está interessada no que ele escreveu sobre ética. Mas por que esse interesse? Porque essas pessoas veem uma maneira de transferir esse conhecimento para uma vida boa, com instituições justas.

Cortella – E essa é uma sensação muito prazerosa porque imaginamos o lado positivo, em que vemos a política também recheada de atividades e atitudes do indivíduo. Quer dizer: "Eu quero vida boa" – e essa vida boa está expressa também num ideal de felicidade.

Fazia tempo que eu não ouvia falar tanto em felicidade. E não estou falando da felicidade restrita ao consumo ou à propriedade material. Parte das gerações mais jovens, hoje – como educador, vejo isso –, tem a felicidade como ideal de vida. Assim, neste momento, conecto novamente com o que dizíamos: se levarmos em conta Aristóteles, que pregava que a finalidade da política é a felicidade, isto é, a *eudaimonia*. Retomando os conceitos desse autor a respeito de *ato e potência*, creio que nossa possibilidade política e sua transformação em ato não acontecem ainda porque parte dos jovens, hoje, não conseguiu vislumbrar que isso terá um resultado para sua existência. No entanto, tal expectativa de resultado tem uma dose de utilitarismo que não considero negativa, pois se trata de uma questão apenas de eficácia, mas que é acompanhada por uma percepção de que a filosofia pode ajudar a alcançá-la. O número de pessoas que vêm dando atenção a textos filosóficos e a quantidade de obras de filosofia que entram nas listas dos livros mais vendidos são dados intrigantes.

Claro que isso provoca novos espantos. Só como curiosidade, outro dia, quando um jornalista me entrevistava sobre questões relacionadas à ciência e à religião, eu lhe disse: "Geralmente, vocês publicam três listas de obras mais vendidas em jornais e revistas: ficção, não ficção e autoajuda. Onde se deveria colocar a *Bíblia*, por exemplo? É ficção, não ficção ou autoajuda? E a *Crítica da razão pura*, de Kant? É ficção, não ficção ou autoajuda? Ou, ainda, como se classificaria *A República*, de **Platão**?". Ele respondeu que dependeria do ponto de vista.

A grande novidade hoje – e esta é a grande novidade política que você destacou bem no começo da conversa,

Renato – é que podemos colocar a *Bíblia* tanto na seção de autoajuda quanto na de não ficção ou na de ficção. Sendo que o fato de que alguém a classifique como ficção não vai necessariamente levá-lo a ser degolado, certo? Liberdade até para discordar sem ser eliminado... Esta é a novidade política: o indivíduo, em meio ao coletivo, como indivíduo, e não como anulação do indivíduo. Afinal, pensar em vida pública não significa que o indivíduo se anule. Penso que ainda não atingimos essa percepção. Dá a impressão de que o indivíduo se dilui porque participa do social na sua presença no dia a dia, e, ao se diluir, perde sua identidade. Acho que ainda não conseguimos convencer pedagógica e filosoficamente as pessoas de que não há anulação do indivíduo no público, mas que, pelo contrário, é na política que ele se destaca. É por isso que, na atualidade, muitas escolas admitem conversar sobre *cidadania*, mas evitam a palavra *política*. Isso pode ser observado nos currículos escolares, assim como nos discursos dos políticos. Eles dizem: "Estamos aqui para defender a cidadania". Trata-se de um tema transversal. Política não. Como se cidadania e política fossem coisas diferentes. A diferença é apenas o idioma de origem – latim ou grego. Dá a impressão de que, na escola, falar em cidadania é nobre, ao passo que falar em política é sujeira.

Janine – Essa concepção é mais ou menos assim: a política é o mundo da heteronomia. Política é o mundo feio, em que os políticos mandam. Nós não temos muito a ver com eles. Eles fazem coisas que independem de nós.

Cortella – É assim que nós falamos: "Eles".

Janine – "Eles". Nós usamos muito esse pronome. "Fecharam essa rua". Quem fechou? "Cobraram isso". Quem cobrou? É o que a gramática chama de "sujeito indeterminado", mas que, em nossa cultura, permite *ocultar* a identidade do sujeito. Esse é o mundo da política; o mundo externo, do "eles", é o mundo que não é bom. Já o mundo da cidadania é o mundo do desfrute, do benefício. E aqui está o problema. Por exemplo, quando um empregado vai "em busca de seus direitos", trata-se sempre dos direitos sociais. Obviamente sou a favor dos direitos sociais, o problema é pensar que tudo isso não tem custo, que tudo isso não resulta de uma repartição. Faz-se necessária uma mudança na arrecadação e distribuição feita pelo Estado: é essencial que ele arrecade de quem pode mais, de quem deve mais, e distribua a quem precisa mais. Claro que essa mudança também supõe bom senso. Não basta uma pessoa ser pobre para ela, necessariamente, ter direito a receber mais. Se for pobre, mas não quiser trabalhar, o Estado não tem obrigação de "salvar" essa pessoa. Considero que dedicamos pouca atenção a este aspecto da política: a nossa autoria. Somos autores do quadro atual, somos responsáveis por ele. Os direitos do empregado não são apenas os benefícios que ele recebe, são os direitos pelos quais ele constrói uma sociedade, um Estado.

Uma cidadania contra o colapso

Janine – Agora quero levantar uma questão que talvez seja o equivalente ao que, nas gerações anteriores, foram a ditadura, a repressão e a opressão: é a ideia de colapso. Fico pensando no livro *Colapso: Como as sociedades escolhem o sucesso ou o fracasso*, de **Jared Diamond**, uma bela obra na qual ele discute como algumas culturas – como a dos maias ou a da Ilha de Páscoa – entraram em colapso em decorrência de uma devastação ecológica que destruiu as próprias condições de sobrevivência. Ou seja, é possível a espécie humana, ou talvez uma parte da espécie humana, adotar condutas que destruam suas próprias condições de sobrevivência.

Cortella – É o caso da expressão que citei um pouco antes – evoluir para óbito.

Janine – Sim, mas aqui penso na evolução para óbito não do indivíduo, mas da espécie ou da sociedade. Acho que deveríamos debater essa questão com mais frequência porque, vivendo numa cidade como São Paulo, que está ameaçada pelo transporte individual de entrar em colapso, numa cidade cujo prefeito afirma que nada ou muito pouco pode fazer a esse respeito; num país em que, cada vez que enfrentamos uma crise econômica, o governo federal e os governos estaduais incentivam a produção e a compra de carros, então a possibilidade de colapso da nossa sociedade é grande. Há o que chamo de "custo São Paulo", que é esse custo da paralisia do trânsito que torna, por exemplo, os serviços prestados com o auxílio de veículos de quatro rodas extremamente caros. Pode ser que daqui a um tempo esta grande cidade seja competitiva apenas em serviços prestados com veículos de duas rodas, ou sedentariamente – com o trabalhador que fica no local de trabalho o dia todo – ou, ainda, a distância: via internet, por exemplo. São casos em que o deslocamento se reduz ou se suprime. O certo é que a prestação de serviços utilizando veículos de quatro rodas está se tornando inviável. Isso inclui o transporte de mercadorias. Aliás, não só a cidade de São Paulo, mas o Brasil todo está sendo afetado pelo drama do trânsito. Tornou-se insuportável o trânsito até em cidades que antes não tinham problemas nesse campo. Então, uma questão que deveríamos introduzir no debate político é o risco do colapso – colapso ambiental, do trânsito, da personalidade...

Cortella – Você tocou num ponto que acho fantástico, que está fortemente associado à política. Não temos mais tempo para a política porque reduzimos nosso uso útil do tempo. Tomemos por exemplo a tecnologia do motor a combustão. Ela é ultrapassada porque hoje um carro a gasolina ou a álcool gasta quase 40% do combustível para sustentar a si mesmo, isto é, para poder se mover. Em física, avalia-se a capacidade pela carga útil. É por isso que o combustível fóssil é cruel: o motor a combustão gasta boa parte do combustível só para mover a si mesmo, independentemente da carga que tiver dentro dele. Portanto, ele tem um alto nível de colapso: se aumentar esse desgaste, ele rende menos ainda.

O indivíduo é dono de si quando é dono do seu tempo. Como para nós, humanos, nosso tempo coincide com a nossa vida, ou seja, o meu tempo é a minha vida, para eu ser dono da minha vida, tenho que ser dono do meu tempo. É por isso que o patrão compra o meu tempo; por isso se diz *jornada* de trabalho: é meu tempo que é comprado. Um contrato de trabalho é um contrato de venda do meu tempo para alguém.

Assim, nas cidades, de maneira geral, cada vez temos menos tempo, porque gastamos horas no deslocamento para uma atividade útil. E a utilidade não está no deslocamento, mas no que vamos fazer quando chegarmos a nosso destino. Então, por exemplo, pode ser que um professor, que vai dar três horas de aula na USP ou na PUC-SP, gaste duas horas para ir e duas para voltar. A mesma coisa acontece com o aluno que sai da Zona Leste para assistir às aulas no *campus* da USP no Butantã: ele fica mais tempo no traslado do que na atividade de utilidade. Isso leva as pessoas a um esgotamento de energia, um esgotamento mental e, por fim, na prática, elas não têm mais tempo para a assembleia tampouco. Não quero justificar, estou dizendo apenas que existe essa condição.

Eu gosto, Renato, dessa ideia de colapso, porque ela me faz lembrar dos buracos negros. Em astronomia, como você sabe, o buraco negro resulta de uma estrela superpoderosa – como as grandes cidades – que, num determinado momento, não consegue mais renovar sua energia e passa a só consumi-la, até entrar em colapso. Nesse instante, ela brilha intensamente – é uma supernova – e cai para dentro de si mesma. Ao colapsar, arrasta tudo o que está junto com ela. É por isso que há metrópoles virando necrópoles... As cidades caminham nessa direção. Para quem não lembra como é um buraco negro, posso ilustrar com uma imagem: se estivéssemos conversando apoiados em uma mesa com uma toalha, pratos, garrafas etc. e, de repente, do teto caísse uma bola de uma tonelada, ao bater na mesa ela a quebraria, afundaria e levaria a toalha junto. A toalha, ao entrar no buraco, levaria pratos, garrafas, tudo. Então o buraco se fecha. Esse colapso é "involtável", para usar um termo de **Guimarães Rosa**. Não tem retorno.

Acho que temos como possibilidade de um horizonte desafiador na cidade, na vida, no campo, na nação, a temática da ecologia, que hoje se chama também de *sustentabilidade*, como uma necessidade política: *fazer política para não perecer*. Esse seria o nosso combustível: fazer política para não desaparecer, não colapsar. Nesta hora é preciso trazer à tona aquilo que você falava antes, a política como heteronomia, como algo fora de mim – aquelas noções "nós somos vítimas do Estado", "eles" representam o Estado. Eles quem? Os políticos, os governantes, entre outros, como se tal conjunto fosse fruto de uma abstração metafísica, como se eles viessem chegando e ocupando todos os espaços...

Você acha que faz sentido ainda hoje a palavra "alienação"? Há poucos dias retomei um texto de **Laymert Garcia dos Santos** sobre alienação, escrito em 1982, chamado *Alienação e capitalismo*, e me pus a pensar: será que faria sentido eu falar sobre alienação em sala de aula atualmente? Você tem falado de alienação, como professor?

Janine – Não, eu não falo. Claro, quando usamos o termo "alienação" estamos pensando na leitura que **Lukács** fez de Marx. Mas o que me incomoda no conceito de alienação é que ele sempre aparece como uma postura incorreta. O indivíduo teria uma postura correta, em termos lukacsianos, se ela fosse consistente com sua consciência de classe. Prefiro o contrário: em vez de termos uma realidade dividida em posições sociais das quais o indivíduo tem consciência ou não, creio que existem posições que o indivíduo assume, que ele escolhe, constituindo sua vida social a partir daí. Do ponto de vista marxista, se a posição de determinado indivíduo é a de trabalhador, ele deve agir levando em conta seus interesses de classe. Mas, se a consciência dele lhe diz que sua preferência é gostar de *rap*, ou de militância negra ou feminista, ou de se divertir, respeito essa posição. Não acho que essa pessoa esteja alienada em relação ao que seria uma postura ideal.

Agora, caberia o termo alienação numa concepção diferente, com significado mais rousseauísta que marxista. Não uma pessoa alienada em relação à sua classe social, mas alienada em relação à sua posição no ecossistema, na sustentabilidade. Podemos pensar, se você me permite, Mario, numa *ecocidadania*, em que a questão fundamental passa a ser a sustentação. É preciso que a sociedade possa se sustentar. Como vemos em alguns recantos naturais: "Leve daqui apenas uma boa lembrança, deixe aqui apenas o seu sentimento". Isso vale para o indivíduo, como vale para a empresa que deve devolver água ao rio tão limpa como estava quando a retirou dele. Talvez eu usasse o termo *alienação* para uma pessoa que não tenha noção disso, insistindo em que pode efetuar suas escolhas, mas respondendo pelo que fez e faz.

Cortella – Na década de 1970, como você sabe, chamar alguém de *alienado* era muito ofensivo em vários círculos. Era praticamente um xingamento.

Janine – Isso porque, naquela época, *alienado* tinha um sentido político ligado à oposição entre direita e esquerda, ao confronto entre capital e trabalho. Essas oposições continuam tendo sentido, mas menos do que antes. Creio que expressam valores diferentes, sim, mas há possíveis pontos de convergência na defesa do planeta, em fins que muitos compartilhamos, como a redução da miséria, da corrupção... Muito disso, ainda que não tudo, tem que ser revisto.

Cortella – Sem dúvida. Hoje, ao contrário, vemos pessoas se referindo ao Congresso Nacional, para focarmos o caso brasileiro, como um grupo de alienados: "Eles estão fora da realidade"; "o governo está alienado em relação ao que acontece na sociedade brasileira".

Janine – Brasília é vista como a Ilha da Fantasia.

Cortella – Exato, Brasília é a Ilha da Fantasia, um lugar fora da realidade. Então, houve uma mudança: o conceito perdeu aquele peso de contraposição entre esquerda e direita e ganhou uma conotação um pouco curiosa, porque a palavra *alienação*, antes até de Marx e **Hegel** a usarem, era aplicada ao deficiente mental. Tanto que em francês fala-se em "asilo de alienados". O romance *O alienista*, de **Machado de Assis**, também traz essa acepção à tona. O alienado era alguém "fora de si". E é aqui que eu queria chegar: ao alienado como o fora de si. Agora vamos brincar de filosofia: se eu faço uma contraposição entre o alienado como fora de si e o idiota como dentro de si...

Janine – Eis uma convergência total.

Cortella – Se considerarmos o *idiótes* como aquele que está dentro de si e o alienado como aquele que está fora de si, e que, na prática, a política é a prática do fora de si como atividade ética de convivência, e a idiotia é a expressão do fechamento do indivíduo, a ampliação dessa condição favorece muito o colapso iminente. É preciso alertar as pessoas, e aí está uma grande dificuldade da atividade educacional.

Um dia estava lecionando sobre a alegoria platoniana da caverna, que consta da obra *A República*, e me lembrei de uma advertência que um professor me havia feito décadas antes e que ficou gravada em minha memória. Ele dizia que era preciso tomar cuidado, pois toda pessoa que conta a alegoria da caverna supõe que está fora dela – e que, por isso, pode alertar os outros. Ao contar a alegoria, ela, que supõe não estar mais dentro da caverna, pensa que pode converter aqueles que estão na escuridão. Essa postura iluminista pode ser vista como arrogante.

Então, pergunto: você e eu, Renato, que podemos ser considerados *intelectuais públicos* – expressão difundida no Brasil por você – temos (vou usar um termo que deixaria Sartre arrepiado!) uma missão, certo? Tal missão de intelectuais públicos não seria iluminista? Ou, fazendo um pouco de autocrítica, será que nós dois podemos falar sobre política, ficar dialogando sobre o tema? Afinal, estamos iluminando as pessoas? Será que política é tema da escola?

A política como tema de sala de aula

Janine – Acho que temos superestimado o papel da escola. Ao mesmo tempo em que a sociedade brasileira não dá muito valor ao profissional da educação, haja vista os salários pagos aos professores do ensino básico público, ela exige muito da escola. Por exemplo, a política de cotas – que é um longo assunto e que eu apoio, desde que seja com data de término determinada, pois se trata de um paliativo, não mais que isso – joga sobre o professor a responsabilidade de dar aula ao mesmo tempo para alunos mais bem formados e alunos menos bem formados. Ou seja, quem paga a conta da política de cotas muitas vezes é o professor. A mesma coisa acontece com a questão ética: coloca-se geralmente como um tema que a escola tem de assumir, quando a ética, antes de tudo, é da alçada da família.

Cortella – **Fernando Haddad**, como ministro da Educação, dizia que, no Brasil, já havia uma política de cotas: chamava-se vestibular, uma vez que só entrava na universidade uma pequena parcela da sociedade.

Janine – Há uma cobrança em relação à escola e ao educador de coisas que às vezes estão além do nosso alcance. Lembro-me de uma discussão que tive, quando fui diretor da

Capes,* com uma docente de um programa de pós-graduação ligado aos direitos humanos. Há apenas sete desses cursos no Brasil e só um está fora da área de direito, o que já é uma limitação, porque acabam tendo uma presença pequena da pesquisa mais recente das ciências sociais sobre os direitos. Na ocasião, uma professora me perguntou, de maneira áspera, o que a Capes poderia fazer para reduzir a desgraça das crianças de rua. Ora, o campo de ação da Capes é muito limitado, pois o que ela pode fazer é aprovar programas de pós-graduação. Na verdade, acabava de ser aprovado um mestrado, cuja criação eu havia sugerido – um mestrado profissional sobre adolescentes em conflito com a lei –, voltado justamente para a área mencionada pela professora. Mas ela continuava irritada, apresentando uma demanda que o sistema de pós-graduação não pode resolver. Uma das coisas curiosas que acontecem no Brasil reside no fato de muitos se dirigirem à pessoa ou à instância errada para pedir alguma coisa.

Dei toda essa volta, Mario, para esclarecer que acho que existem questões que são políticas. Não são questões pertinentes ao mundo da pesquisa e da ciência, mas sim ao mundo da política. Há várias doenças que certamente já podem ser sanadas, pelo menos já foram descobertos os meios, a academia já completou seu trabalho. Agora, resta o Estado e a sociedade fazerem a sua parte. Se ocorrem epidemias de

---

* Coordenação de Aperfeiçoamento de Pessoal de Nível Superior. (N.E.)

dengue porque as pessoas deixam água empoçada, isso nada tem a ver com o pesquisador.

Qual seria nosso papel iluminista no tocante à política? Quando falamos em iluminismo, sempre há um elemento ético. Estamos pensando numa política que seja ética, decente, capaz, ideal, utópica no sentido que você mencionou antes – não de irrealizável ou impossível; ela é, apenas, insaciável. Talvez a principal característica da democracia seja que ela nunca se sacie. Dizer que a democracia é incompleta talvez seja até um traço – positivo – do que ela é. A democracia abre a caixa de Pandora dos desejos, dos anseios e nunca mais para. Então, cabe-nos um papel iluminista no sentido de esclarecer, de opinar, de conduzir? De conduzir certamente não, mas de esclarecer, sim. Podemos apontar, por exemplo, essa tendência da democracia a sempre pedir mais, o que não implica concordar que tudo o que é pedido deva ser dado.

Aqui destaco um ponto que, creio, é um dos que nos aproximam: podemos ter nossas preferências políticas, mas nós dois somos muito comedidos quanto a expressá-las. Considero mais importante, no Brasil, hoje, que as pessoas aprendam que a posição de seu adversário também é legítima, que aprendam a entender o que ele disse, em vez de contestar o que apenas imaginam que ele falou. Nosso debate é pobre, porque se faz caricatura do adversário. Não é à toa que ainda há quem chame o adversário, na política, de inimigo! Inimigo, só na guerra. Pior que isso, ainda não se entranhou em nós a convicção de que dois lados podem ter alguma razão e de que a política é o enfrentamento de posições opostas mas legítimas. É nesse conflito que cada uma delas pode se aprimorar.

Penso que um primeiro papel nosso é tentar esclarecer. Na política, esclarecer que na democracia é necessário haver posições diferentes e divergentes. Uma questão básica (e, aqui, esquerda e direita funcionam bem como valores) é: você acha mais importante que cada pessoa seja o mais livre possível para florescer em sua atividade responsável (essa é a posição liberal), ou que o Estado intervenha para assegurar certos equilíbrios sociais, os laços sociais (que é uma posição socialista)?

Se adotarmos a posição liberal, podemos chegar à supressão do direito de herança, porque ele desiguala as pessoas no ponto de partida. Para o liberal autêntico, espécie raríssima, o importante é que todos tenhamos o mesmo ponto de partida. E mais até: se uma pessoa tiver uma deficiência que dificulte sua vida, ela é compensada – seja um problema de visão ou de movimento, seja o fato de ter tido uma formação educacional insuficiente. Tudo isso tem espaço no liberalismo verdadeiro. Até mesmo uma política de cotas e a ação afirmativa são aceitáveis. Contudo, segundo essa lógica, se é justo propiciar a todos que tenham condições similares no ponto de partida, não é preciso garantir que o ponto de chegada de todos seja o mesmo; isso dependerá do uso que cada um fizer de sua liberdade. Essa é a essência do liberalismo, que é muito respeitável, embora infelizmente a maior parte dos liberais não tenha essa compreensão. E há uma essência socialista que é a da solidariedade: em vez de apostar em cada um, entender que a maior parte das ações deva ser coletiva e deva reforçar os laços entre nós.

Escolher entre essas duas posições é vital na democracia. É bem diferente de votar num candidato porque seu adversário seria corrupto ou desonesto. Nossa atual discussão política demoniza o adversário – e, com isso, ela fica pobre. Para contestar o outro, investigo se ele teve uma conduta corrupta, antiética ou imoral. Seguramente, política não é isso.

Cortella – Esse modo de fazer política é até antidialético, de certa maneira. Não se pensa a política como síntese, a democracia como síntese. Em espanhol, usa-se a palavra *concertación* para exprimir a ideia de fazer um concerto, um acordo para a vida coletiva, tendo o Estado como "concertador", como mediador da sociedade civil.

Gostei dessa ideia de que nossa posição não é a de iluministas – como farol ou como pontífice (aquele que pontifica as coisas) –, mas é a daqueles que pedagogicamente têm, sim, a tarefa de contribuir para a construção das referências. Acho que os filósofos, tanto os que se dedicam ao ensino quanto aqueles voltados para a prática da reflexão, têm realmente a tarefa, eu diria até a obrigação ética, de promover essa discussão. Na verdade, todo aquele que atua na área educacional precisa trazer o tema da política para o espaço escolar. O que não se deve é *partidarizar* seu estudo, porque isso bloquearia o tratamento da política como *bem comum*. A política partidária é apenas uma vertente do tema, mas não é a única nem a melhor. Eu faço política escrevendo, dando aula; faço política no meu prédio, no meu bairro, na convivência com minha família; no modo como me relaciono com as pessoas com quem trabalho e assim por diante.

Penso que é necessário que a escola trate das diversas subdivisões do tema, explique a organização partidária, a política como ato cotidiano etc. Para vários de nós, a vida política teve início na própria escola, nos grêmios estudantis, no diretório acadêmico. Quando eu estava na faculdade, não era permitida a criação de um centro acadêmico, apenas de diretórios. E não é à toa que a ideia de militância esteja ligada ao conceito de polícia, de militar. Pois o que era o militante? Era aquele que se engajava nas tarefas do Estado, para garantir a vida pública sem rupturas. Acho que a política nos aproxima dessa condição. É tarefa também da educação escolar lidar com isso.

Da importância da transparência

Janine – Vou agora expressar uma opinião otimista em relação à visão que as pessoas têm da política. Ela se assemelha, a meu ver, às dores de parto, e existe todo um processo histórico nessa "gestação". No século XX há um parto extraordinariamente longo de algo que podemos chamar de democracia de massas. Quando se inicia o século passado, *democracia* nem sequer é um elogio. Essa palavra começa a ser valorizada com a Segunda Guerra Mundial, quando se defrontam as potências do Eixo e os países que se autodenominam democracias (vários dos quais efetivamente o eram). A partir daí a palavra *democracia* ganha um *status* positivo que, antes, não tinha. Desde 1945, é raro o regime que não se diz democrático.

O que aconteceu? Um grande número de pessoas ingressou na política. Para piorar as coisas, nas décadas de 1920 e 1930, entre os fatores que levaram aos totalitarismos esteve o seguinte: a Primeira Guerra Mundial foi travada de maneira puramente *liberal*: os feridos, as viúvas e os órfãos de quem morreu não receberam apoio. Foi cada um por si. Não houve projeto, ao longo ou depois da Primeira Guerra Mundial, para integrar aqueles que os franceses chamavam de *gueules cassées*, aqueles que tiveram a cara arrebentada, seus órfãos ou quem quer que fosse. Resultado: essa multidão vai formar os bolchevistas na União Soviética, os fascistas na Itália, os nazistas na Alemanha, e assim por diante. Já na Segunda Guerra Mundial, os norte-americanos planejam com muita antecedência o que será o pós-guerra, com a reconstrução dos países devastados e a reintegração dos sobreviventes.

Então, qual era o panorama entre as duas guerras? Uma multidão entrou na política como massa de manobra nazista, fascista, mas a ela se vendeu a ideia: "Olhe, você, plebeu, tem voz. Você não tinha no tempo do Kaiser, mas tem agora com Hitler" (ainda que fosse para gritar "Heil Hitler", agora eles tinham voz). Essa incorporação de grandes massas não é um processo fácil, mas, se começa mal, com as massas fanáticas dos totalitarismos, depois se aprende. Ao longo do tempo, ganha-se conhecimento e experiência sobre as questões políticas.

Mas vejamos como isso é demorado. Numa democracia que em mais de dois séculos não conheceu golpe de Estado nem ditadura, os Estados Unidos, na eleição de **John Kennedy**, em 1960, votam todos, mas quem decide ainda são os patrícios, a elite. Kennedy é meio *outsider*, porque é católico de origem irlandesa, mas sua família era riquíssima e seu pai tinha sido embaixador na Grã-Bretanha. Enfim, ainda é uma política entre patrícios. Porém, nos anos que se seguem, ocorre uma *plebeização* da política. Uma multidão muito maior, que já votava, começa agora também a opinar, a intervir mais nas questões políticas – e isso muda tudo. E muda numa direção que não é necessariamente a mais desejável. Se no ano 2000 as eleições nos Estados Unidos tivessem sido decididas pelo patriciado, pelas pessoas mais bem informadas, **Al Gore** teria vencido de goleada.

Cortella – Sem dúvida. E o pequeno **Bush** estaria fora.

Janine – Bush II não teria a menor possibilidade! Em 2000 ele perdeu no voto popular, mas se dependesse do patriciado a diferença teria sido esmagadora.

Agora, junto com esse avanço, que permite uma melhor percepção da política e maior transparência, também se vê melhor a sujeira. Ninguém sabia que **Franklin Roosevelt** era paraplégico. Da intensa vida sexual de John Kennedy, nada se falava. Mas em 1988 um democrata que tinha boas chances de ser indicado candidato, o senador **Gary Hart**, foi surpreendido com a amante. Isso acabou com sua candidatura. É ruim liquidar as aspirações políticas de uma pessoa por causa de sua vida privada? Sim, mas também é sinal de que coisas antes não divulgadas passaram a se tornar públicas. Uma demanda ampla de transparência faz o que era escondido ficar visível. Penso que vivemos um momento de transição em que as pessoas percebem a sujeira, têm asco por ela, desprezo pelos que a exercem, tédio eventualmente por terem de participar disso – citando os conceitos que você empregou, Mario –, mas isso tudo é quase como uma dor de parto. Chegará o momento de pensar que será preciso limpar essa sujeira. Assim como as pessoas hoje fazem voluntariado porque constatam que o Estado não cumpre seu papel a contento, deverá chegar um momento em que percebam que não adianta se alhear dele: é preciso investir suas energias na construção de um Estado realmente comprometido com a coisa pública.

Mais um ponto: a percepção da corrupção deixou de ser um fenômeno de Terceiro Mundo. Vinte anos atrás, afirmaríamos que o Brasil era um país corrupto, mas não a França. Hoje, não podemos dizer isso. Certamente, o vice-presidente de George W. Bush, o primeiro-ministro **Berlusconi**, o presidente **Chirac** ficaram com má fama em termos morais. Então, identificar a corrupção ao atraso não funciona mais, até porque, em nosso caso, o Brasil avançou muito politicamente. Temos hoje uma democracia consolidada, algo inédito em nossa história. Contudo, a democracia ainda não trouxe para nós os bens sociais que trouxe para a Espanha, por exemplo. Falo da Espanha porque, há 30 ou 40 anos, ali se vivia uma realidade muito parecida com a brasileira, só que aquele país deu um salto. Certamente vários fatores contribuíram para isso, mas nós ainda não conseguimos dar esse salto. Em suma, 40 anos atrás associaríamos o atraso no desenvolvimento social à corrupção; hoje, temos de convir que sociedades, como a norte-americana de fins do século XIX, avançaram muito socialmente, mesmo tendo uma política corrupta.

Cortella – Vou pensar a mesma coisa numa outra frequência: a ideia de democracia é uma ideia que ganha configuração no Ocidente. Não é uma ideia oriental, asiática, do ponto de vista de ação política pública. Se voltarmos nosso olhar para a Índia e a China, por exemplo, para focar duas nações que provavelmente terão o domínio do século XXI, a China adota uma prática confucionista, na qual é forte a noção de dever na tradição, e a lógica do indivíduo está conectada ao imediato da família. Portanto, o "não me importo" é muito sério em uma sociedade que tem formação confucionista: "Não me importo fora do campo da minha comunidade imediata".

Na Índia, em que vigora a noção de casta, a possibilidade de pensar a democracia alcança menos valor do que teve a independência. É curioso supor que um país que conserva, ainda hoje, a organização por castas – apesar de não formalmente, porque a lei não permite, mas é o que existe na prática –, tenha conseguido levar a população a lutar pela independência.

Embora a democracia seja uma invenção, digamos, ocidental, isso não quer dizer que ela não possa ser universalizada. Ao contrário, precisa ser universalizada. No entanto, nem no seu próprio berço, no século V a.C., ela era valorizada como o foi depois. Por exemplo, mencionamos aqui alguns filósofos que não tinham apreço algum pela democracia, a começar por Platão; apesar de autor de obra chamada *A*

República, notamos claramente que, para ele, a democracia era algo a ser evitado.

Quanto ao mundo romano até a República, ele poderia ter vingado na tradição democrática, mas não foi o que ocorreu. Quando Júlio César assume o poder, na guerra civil, e se inicia o ciclo de imperadores com **Otávio**, que vai até a queda do Império Romano do Ocidente em 476, a noção de democracia não ganha espaço, não se impõe. Patrícios e plebeus convivem, mas a noção de classe é mais forte: classe dos cavaleiros, dos seniores, dos juniores, e assim por diante. No mundo medieval no Ocidente, a noção de democracia evidentemente não viria à tona porque o que predomina é uma autocracia religiosa em grande parte e uma soberania que começará a ser ameaçada quando desponta o mundo do Renascimento, aquilo que se chamava de *monarquia esclarecida*.

Faço um parêntesis anedótico: tive um professor de história, um português, já falecido, que dizia: "Dom José de Portugal era déspota e não sabia. Aí lhe disseram e ele se tornou um déspota esclarecido".

Por que estou fazendo essa trajetória tão longa? Para chegar a um ponto: é a modernidade que vai trazer a democracia como possibilidade de um valor do indivíduo. Mas, como você colocou, Renato, é só a segunda metade do século XX que vai colocá-la como *o* horizonte. Mesmo quando se começa a valorizar a democracia, ainda havia algum desprezo por ela em várias situações. O mesmo aconteceu em relação à escola universal. Há uma correspondência entre a desvalorização da democracia e da escolarização universalizada. Na França, **Guy de Maupassant** dizia que se alfabetiza o povo e a besteira se liberta, se alfabetiza a massa e a tolice se solta. Porque então o povo poderia ler e escrever... A segunda metade do século XX vai trazer a valorização da democracia. Aliás, quando você falava a respeito dos Estados Unidos e de Kennedy, eu me lembrei dos movimentos sociais, como o movimento dos direitos dos negros, das mulheres, do movimento contra a guerra do Vietnã... Os movimentos sociais no Brasil foram contra a carestia, pela terra, entre outros. Vemos que o debate sobre propriedade no Brasil continua sendo feito só pelo MST, que ainda é um remanescente das discussões dos anos de 1960 e 1970 da Igreja Católica no Brasil. Os movimentos sociais trouxeram a necessidade de uma presença da democracia como igualdade de participação. É verdade que, na história brasileira, ela é um pouco mais complicada, pois, como se sabe, nossa colonização começou em 1500, e até 1808 nem nação éramos ainda. Aliás, somos a única experiência da história que teve um governo inteiro importado: do rei ao fâmulo mais banal. De um dia para o outro, a colônia acordou metrópole. Portanto, não tivemos a constituição do Estado, nossa República não existia, nossa independência foi proclamada pelo colonizador, e a República foi proclamada por um monarquista, o marechal **Deodoro da Fonseca**, que era então ministro da guerra do imperador Pedro II. Aliás, nisso ele se assemelha a **Sarney**, que foi o primeiro presidente depois da ditadura, embora tivesse presidido a Arena* no Brasil. Nossa Proclamação da República é de 1889. A primeira vez que todos os cidadãos, inclusive analfabetos, puderam votar no Brasil foi em 1989, certo? Nós tínhamos 489 anos sobre 510 de história quando o analfabeto pôde votar no país pela primeira vez.

Janine – Creio que os analfabetos votavam no Império, quando havia dois níveis de votação...

Cortella – Sim, é verdade, mas só se não fossem escravos. A primeira vez que todos os cidadãos, a partir de 16 anos, puderam votar, de forma facultativa ou obrigatória, foi em 1989, graças às alterações introduzidas pela Constituição de 1988. Agora, acompanhe meu raciocínio: em 510 anos de história, temos 21 anos de democracia formal, certo? Se calcularmos a participação política da população ao longo de nossa trajetória, ela não chega a 5% da história. Os norte-americanos lutaram pela independência, lutaram pela organização de um governo democrático, criaram uma constituição com poucos artigos e não mexeram tanto. Nós

---

* A Aliança Renovadora Nacional (Arena) foi um partido político conservador fundado em 1966, no início da ditadura militar no Brasil, para apoiá-la. Posteriormente sua legenda foi alterada para Partido Democrático Social (PDS). (N.E.)

já tivemos várias. Isso significa o quê? Que estamos perdidos? Não, apenas é outro processo histórico.

Agora chego ao último ponto desta minha longa intervenção: você está absolutamente certo, Renato, quando diz que a novidade não é a corrupção, é a apuração. A novidade hoje não é a presença da corrupção, mas é a informação sobre ela, a indignação em vários níveis e, especialmente, a possibilidade de iluminá-la. Para usar um ditado caipira, "o sol é o melhor detergente". Começamos a limpar quando colocamos a roupa para quarar. E hoje temos instâncias na sociedade que permitem – ou mesmo propiciam – a transparência na política.

Então, o que acontece? Um jovem vê CPI, apuração, corrupção, e pensa que está no pior dos mundos, mas ele não vivenciou o momento anterior desse processo. É como se assistíssemos ao segundo tempo de um jogo de futebol, sem termos visto o que aconteceu no primeiro. É preciso olhar o conjunto, analisar a realidade em perspectiva. A democracia não perde prestígio, mas se torna, felizmente, óbvia. Assim, se falarmos hoje para alguém que há 21 anos só porque um indivíduo era vítima do analfabetismo, era também cassado do seu direito jurídico, o ouvinte exclamaria: "Mas que absurdo!". Seria como se eu dissesse que há 122 anos alguém era propriedade de outro... Tornou-se óbvio não haver escravatura. Como se tornará óbvio, em breve, que não se faça ameaça ecológica. Como já está se tornando óbvio não colocar aviso em auditório de que é proibido fumar ali. Quando comecei a dar aula na PUC, há 34 anos, fumava-se em sala de aula. Não havia placa. Há 20 anos, começou a aparecer uma placa sutil: "Pede-se não fumar" – ou seja, apelo de consciência. Há 10, apareceu: "Proibido fumar". E hoje não há placa alguma. Já não é necessário.

Por que estou fazendo esse longo raciocínio? Porque, felizmente, isso é um avanço, ou seja, evolução positiva. A democracia se tornou um valor a ser protegido.

Entre o confronto e o consenso:
Formas de lidar com as diferenças

Cortella – Um aspecto que ainda não abordamos e que me parece quase obrigatório na discussão sobre política é explorar como resolvemos nossas diferenças, de que meios dispomos – o consenso, "a maioria vence", o conflito, o confronto etc.

Antes de tudo, política não é obrigatoriamente consenso. Consenso é uma parte do ato político, mas não é a única forma de lidar com as diferenças. A palavra *consenso*, às vezes, passa a sensação de que é necessário reduzir, abrandar as divergências – e, portanto, impedi-las. No meu entender, democracia não é ausência de divergências mediante sua anulação. É a convivência das divergências sem que se chegue ao confronto. Costumo fazer uma distinção entre conflito e confronto. Conflito é a divergência de posturas, de ideias, de situações; confronto é a tentativa de anular o outro. Assim, considero que não existe *conflito militar*, porque guerras são situações de *confronto*, nunca de um simples conflito. A intenção numa guerra, num combate, não é convencer o outro, mas vencê-lo pela força, extingui-lo.

Janine – O objetivo não é necessariamente matar o outro, mas extinguir sua autonomia.

Cortella – Vou falar uma coisa que parece estranha. **Enrique Dussel** – autor de *Filosofia da libertação: Crítica à ideologia da exclusão* – levanta uma questão, ao discutir a origem da ética, que pode soar abstrusa por parecer violenta, mas que nos permite uma boa reflexão: uma das coisas que geraram a ideia do outro como indivíduo, com direitos a ser preservados, foi a escravidão humana. Quando, há alguns milhares de anos, se travavam guerras entre as comunidades – entre países, naçoes, como seriam chamadas depois –, o que se fazia com o inimigo era degolá-lo; ele não era reconhecido como alguém que precisava ser preservado. Com a introdução da escravatura, ele passou a ser um outro no sentido até de produto ou objeto. Então ao ser capturado, em vez de morto, ele era preservado para poder trabalhar, tornou-se necessário em alguma medida nos direitos dele.

Por que eu trouxe esta reflexão para nosso debate? Porque o consenso nada mais é que, num determinado momento, um acordo relativo a um ponto. É possível ter um consenso estabelecido entre uma minoria, pois ele não é necessariamente a decisão da maioria. O consenso é o anúncio de que se vai evitar o confronto. Para viabilizar a convivência, admitimos que uma determinada decisão prevaleça. Por vezes, aceitamos o consenso para evitar um confronto simplesmente por cansaço, por fastio. É algo comum em casais, por exemplo. Chega um momento em que um dos dois concede: "Está bem, você está certo". Uma concordância que nada mais é que uma forma de evitar o confronto.

Janine – Eu faria uma distinção um pouco diferente. Eu pensaria no seguinte: temos muitas formas de resolver um conflito. Há conflitos que resolvemos consultando um livro, como a divergência sobre um dado histórico, ou uma calculadora, quando não concordamos sobre o resultado de uma conta. No entanto, há outro tipo de conflito que diz respeito a valores, decisões. Nesse tipo de conflito ou de divergência, uma das formas que o mundo desenvolveu para sua solução é a democrática. Vamos ao voto e a maioria decide. O consenso se daria quando, em vez de uma votação, conseguimos aproximar os pontos de vista diferentes, chegando, talvez, à unanimidade. Mas esta é difícil e não pode ser imposta. Por isso, gosto da ideia de um acordo que seja fruto de um processo de discussão e negociação. É como se disséssemos: "Nossas posições divergem, mas, em vez de levarmos essas posições a voto para que uma delas prevaleça, achamos que vale a pena fazer concessões de um lado e de outro até chegarmos a uma posição mais próxima".

Tive uma experiência muito boa na Capes, com relação a isso. Quando no seu Conselho havia posições divergentes, eu procurava aproximá-las o máximo possível. Eu preservava as diferenças, mas, sem saber ainda qual seria majoritária, tentava levar ambas a fazer concessões, de modo que, no final, ninguém se sentisse derrotado. Mesmo que votássemos, acabávamos escolhendo entre duas posições que já tinham, ambas, feito concessões ao outro lado. Em vários casos, acabamos até chegando a uma posição de síntese. O objetivo era fazer todos saírem ganhando, em vez de criar um clima de que um leva tudo e o outro perde tudo.

Penso que isso é particularmente importante quando atuamos numa esfera que não é a político-partidária. Na dimensão político-partidária, estamos habituados à ideia de que quem ganha as eleições leva tudo. Já no mundo acadêmico e nos outros campos em que valores são compartilhados, devemos tentar conseguir o apoio do maior número de pessoas possível para o máximo de mudanças que for possível. Ou seja, devemos atingir a maior quantidade de apoios para a maior quantidade e qualidade de mudanças. Isso é diferente de resolver o conflito só pelo voto. Supõe que seja possível reduzir as distâncias e fazer as pessoas cooperarem mais do que competirem. Não se trata de esperar a unanimidade, mas de saber que, com frequência, as partes em confronto podem ganhar mais colaborando do que se excluindo mutuamente.

Para dar um exemplo histórico: a cultura política anglo-saxônica se baseou num tipo de modelo que torna imprescindível a anuência dos vários atores. Por exemplo, até o século XVII, os ingleses estavam convencidos de que o rei podia sustentar-se e à sua administração sem cobrar impostos. O imposto era excepcional e precisava ser autorizado em cada caso. Na verdade, quase todo ano o rei pedia impostos. Mas essa ficção do imposto como exceção foi muito útil, porque sem o acordo entre rei, lordes e comuns (a Câmara dos Comuns, o órgão eleito pelo povo, o elemento democrático num regime fortemente autoritário), negociado e obtido a cada vez, nada funcionaria. O rei tinha de dar algo aos plebeus toda vez que cobrava o imposto. Isso exigiu que se formasse uma cultura de negociação. Na França, ao contrário, o impasse do Antigo Regime só pôde ser resolvido pela via revolucionária, com a guilhotina e várias guerras. São duas culturas diferentes. O que quero dizer é que, se a revolução foi necessária para romper grilhões (e também houve duas revoluções na Inglaterra do século XVII), numa sociedade de convívio democrático a negociação se torna prioritária.

Bem, está parecendo que elogio muito os anglo-saxões...

Nem tanto, porque, para eles, a competição é decisiva. O que defendo é uma cultura mais da cooperação do que do confronto. Tive essa experiência na avaliação da pós-graduação, quando fui diretor da Capes. Os mestrados e doutorados são avaliados de forma competitiva. Uns são melhores do que outros. Mas, se você só apostar na competição, ela se torna contraproducente. Para sair-se melhor, um curso não vai cooperar com outros. Se tiver um laboratório bom, vai fechá-lo aos concorrentes. Então, criamos critérios de cooperação e de solidariedade. Assim, nenhum curso atingiria as notas máximas na avaliação se não cooperasse com outros e, especialmente, não fosse solidário com cursos iniciantes de regiões menos desenvolvidas do país. Isso está longe do modelo da pura competição. Evita que ela traga efeitos deletérios. Porque me pergunto se dá realmente para construir uma cultura na base do confronto. Podemos ser veementes na defesa de nossos pontos de vista, mas é difícil caminhar sem a colaboração de gente que pense de modo distinto do nosso. Mesmo na política, é um erro nossos políticos pensarem que, se ganharem, levarão tudo. Penso que um dos futuros para a política estará em sair do sistema em que o lado vitorioso exclui da liderança política todos os derrotados. Na verdade, nem a palavra "derrota" deveria constar do vocabulário político. Se quisermos a república, a coisa pública, o bem comum, ele deverá ser bem mais amplo do que um simples partido.

Cortella – Eu estava pensando exatamente isso que você acaba de dizer: o mais amplo. É muito interessante pensar que, no caso anglo-saxão, eles adotem a *common law*, uma forma aproximada de direito consuetudinário no cotidiano. A Magna Carta, que data do século XIII, é a base da nação britânica, e eles não tem Constituição como um único documento até hoje. Portanto, as normas de convivência vão sendo construídas pela legislação da prática, do costume, do cotidiano. Ou ela se organiza a partir de um consenso ou não consegue, de fato, definir as regras que lhe permitam avançar na história.

Agora desejo fazer dois comentários com base em sua reflexão, Renato. O direito do indivíduo não é anulado pela presença do poder de Estado. Por exemplo, o Brasil começou a discutir nos últimos anos a chamada *lei seca*. Por sinal, não está correto chamá-la assim, pois ela não proíbe que se beba. Proíbe apenas que o indivíduo dirija após ter consumido determinada quantidade de bebida alcoólica. Lei seca, nos Estados Unidos, foi aquela que proibiu o consumo de bebida alcoólica, o que nunca existiu no Brasil, pelo menos não na República. E a proibição aqui é a de que se dirija um veículo após beber porque esse não é um ato individual, em razão do possível impacto na vida coletiva, como no caso de um acidente – que, por sua vez, implica ameaça à vida alheia, gasto do dinheiro público etc. Beber é um ato individual. Dirigir após fazê-lo não o é. Desse modo, beber está no âmbito da autonomia do indivíduo; dirigir está fora desse âmbito. Agora, qual o consenso? O indivíduo pode ser usuário de droga ilegal, por exemplo? Ele pode fumar maconha em sua casa? Na atualidade, a legislação estabelece que a pessoa não será incriminada por ser usuária. Ela não pode traficar, porque o tráfico tem impacto na sociedade e no mercado (pois, como o jogo do bicho, a droga não é tributada), além de outras implicações, como o fato de movimentar o tráfico de armas etc. Mas o indivíduo, sozinho, pode consumi-la.

Tudo isso vai sendo estabelecido como consenso. No Brasil, há 20 anos, se alguém fosse pego pela polícia sem carteira de trabalho registrada era preso. Não trabalhar era uma contravenção chamada "vadiagem", prevista no código penal. Se o indivíduo apresentasse carteira de estudante, não haveria problema, porque ali estava escrito: "profissão: estudante". Por que digo isso? Porque vamos construindo a lógica de que o indivíduo pode ser alguém que tem uma orientação homossexual; pode ter uma união estável; pode ser consumidor, no âmbito privado, daquilo que é chamado hoje de droga ilegal; pode ser alguém que se dedica a fazer artesanato com palito de fósforo – tanto faz. O que não se permite é que isso produza um efeito maléfico e deletério fora do campo do indivíduo. Creio que esse é um consenso que só a democracia foi capaz de construir até o momento.

Janine – Mas esse consenso também não é tão amplo. Por exemplo, nos Estados Unidos, há uma cisão fortíssima entre quem é a favor ou contra o direito de abortar. É interessante que uma sociedade continue funcionando mesmo com uma parte da população achando que a outra parte defende o assassinato – porque quem é contra o direito de abortar acha que aborto é uma forma de homicídio. Eu teria dificuldade de me sentar à mesa com uma pessoa que considero assassina. No entanto, faz parte da democracia que continuemos juntos mesmo com divergências tão radicais.

Na verdade, a sociedade democrática moderna tem por característica aceitar uma não comunhão de valores que nenhuma sociedade anterior tolerou. Se Sócrates foi condenado pela acusação de que levava as pessoas a perderem a fé nos deuses da cidade, imagine então o que significa parte de uma sociedade achar que a outra age de forma "assassina". Em contrapartida, surgem leis para penalizar ações que antes eram aceitas. Em 1960, quando foi rodada a comédia *Se meu apartamento falasse*, o assédio sexual do chefão da empresa à ascensorista era normal. Não era digno de elogio, mas é o tema do filme, e não sofria sanções por parte da sociedade. Nos últimos 20 anos, a visão do assédio sexual foi se alterando e hoje é crime. O filme terminaria aos dez minutos, com o patrão preso! Já o adultério deixou de ser crime. Antigamente se podia até prender uma pessoa por adultério, como se prendia o usuário de droga. Mas não é que tenhamos começado a aprovar o adultério. Pelo contrário, talvez hoje a sociedade brasileira até tenha uma posição mais crítica em relação a ele do que há 20 ou 30 anos. O que mudou foi que passamos a entender que talvez não valha a pena punir o adultério ou o uso de drogas. Quer dizer, mudamos o modo de lidar com tais questões. Por que hoje consideramos que não é mais o caso de punir tais condutas? Entre outras razões, para reduzir o comprometimento da máquina policial nisso. Não é que tenhamos passado a considerar o uso de drogas, o aborto ou o adultério ações corretas ou recomendáveis.

Então, há vários níveis de consenso, vários níveis de tolerância na sociedade. Alguns são até, como você disse,

Mario, por fastio. Quer dizer, nós nos cansamos. Às vezes, o custo da punição se tornou desproporcionalmente elevado em relação a este ou aquele comportamento, além do que essas são situações do âmbito do privado, e não da esfera do público.

Cortella – Falando em polícia e tráfico, eu me lembro de que uma das discussões em torno do filme *Tropa de elite* foi o impacto que a frase do capitão Nascimento tem num determinado momento, quando ele prende um menino de classe média e diz: "Você pensa que não está movendo o crime na cidade? Essa droga que você está comprando é o que movimenta o assassinato em tal lugar, o assalto em tal lugar". É como se ele dissesse: "Isto é política". Em resumo, "dar um tapinha" na maconha é um ato político, não em si mesmo, mas por suas implicações na vida coletiva.

A favor da vida: Política faz bem

Cortella – Sabe, Renato, estive aqui fazendo uma associação de um ponto de nosso último tópico, o *confronto*, com a noção de *colapso* que você explorou antes. Isso me levou a uma palavra que atualmente pouco usamos, e que antes mencionei, ao falar de "horizonte adversário", que é *agonia*. Quando você falou em colapso, pensei em uma sociedade que agoniza em várias frentes. Existe a luta que se trava a favor e a luta que se trava contra. Quem ou o que luta a favor é *protagonista*; quem ou o que luta contra é *antagonista*. Muitas vezes, temos a política como antagonista da nossa convivência livre e coletiva. Penso que temos que ser protagonistas. Sem romantizar a questão em excesso, creio que parte da minha possibilidade de felicidade está em eu ser protagonista da política. Ou seja, não ser nem negligente, nem leniente, não ser alguém que deixa de participar, no meu nível de possibilidade e autonomia, fazendo a escolha por um partido, ou pelo movimento de uma ONG, no sindicato, no clube que frequento etc. Mas é importante que eu não seja antagonista da minha própria felicidade. Ser, portanto, protagonista político. Gostaria de usar uma expressão que nos era muito cara na década de 1960: *política faz bem*. Nós nos sentíamos vivos. E sentir-se vivo é saber que a corrupção é algo que não se deseja e, por isso, deve ser empreendida uma ação para que ela deixe de existir. Sentir-se vivo é também sentir-se participante.

Em 1984, antes da campanha das Diretas Já, saiu uma passeata da PUC-SP que se juntou a outros grupos que seguiam em direção à Praça da Sé. Nós carregávamos um caixão da ditadura (tenho uma foto dessa cena até hoje). Estávamos habituados a fazer passeatas e, nesse dia, tive uma pequena "frustração", porque não houve oposição no caminho. Encontramos várias viaturas da polícia que estavam protegendo o caminho para passarmos.

Janine – O governador então era **Franco Montoro**.

Cortella – Isso mesmo. Qual foi a sensação? Nós seguimos da rua Monte Alegre para debaixo do Minhocão, passamos pela avenida São João – e, no caminho, viaturas da polícia fechavam o trânsito de veículos –, depois fomos pela Duque de Caxias, perto do Largo do Arouche, e durante todo o trajeto a passeata pôde seguir tranquila. Perdeu a graça? Lógico que não! Porque a graça era justamente ter conseguido aquilo.

Janine – Era um êxito.

Cortella – Existia ali a ideia de que a política mantém a pessoa viva. Eu, Cortella, não estava mais vivendo sob a ditadura; assim como um jovem, hoje, já não sofre uma opressão que impeça a democracia. Precisamos, então, encontrar a fonte de vida na política em outros elementos, e creio que evitar o colapso do indivíduo, da sociedade, da história é um bom motivo, um elemento essencial. Afinal de contas, ainda podemos evoluir para óbito...

Janine – Queria falar um pouco dessa ideia de felicidade a que você se referiu há pouco.

Felicidade é um complexo de ideias. Vida social ou vida política fazem parte da minha felicidade? Sem dúvida. Mas até que ponto? Geralmente, faz parte de certa sabedoria de vida o indivíduo não deixar o que é externo afetar demais a sua vida. Ou seja, faz parte da sabedoria de vida a utilização de uma espécie de vacina, inclusive contra a política, contra tudo aquilo que não depende dele. Certamente o fator aleatório tem um peso considerável na nossa vida. Eu e você, Mario, já ocupamos cargos de confiança do poder público e sabemos que, nessa posição, a pessoa fica à mercê de muitas conjunturas. Alguém pode falar uma frase tola, você pode perder seu cargo porque foi ineficiente, ou até porque foi eficiente demais... Tudo é possível. Em suma, quanto mais você se abre para o mundo, mais você fica à mercê. Daí que, como o estoicismo nos adverte há cerca de 2 mil anos, seja prudente não se deixar levar demais pelo caráter oscilante da vida externa.

Em nossa discussão, estamos timidamente acreditando que uma articulação do social ou do político possa contribuir para nossa felicidade. A ideia de Felicidade Interna Bruta (FIB) trabalha com a expectativa de contribuir positivamente para a nossa felicidade ou de, pelo menos, reduzir os fatores de infelicidade. Hoje, reduzir os fatores de infelicidade é, por exemplo, diminuir a degradação ambiental, e trazer elementos de felicidade é garantir a sustentabilidade. Assim, um investimento ecológico, dependendo de sua escala, pode apenas reduzir a infelicidade ou contribuir positivamente para a felicidade. Esse ponto depende do grau de utopia em que se está apostando. Se acreditarmos que conseguiremos estabelecer o que hoje chamamos de sustentabilidade e 50 anos atrás talvez chamássemos de uma sociedade socialista (são duas coisas diferentes, mas enfim)...

Cortella – Como ideal, não são diferentes.

Janine – Tem razão. Talvez a sustentabilidade, o compromisso com a vida, tenha sucedido ao socialismo, que seria o compromisso com o mundo do trabalho – algo importante, que permanece, mas menos abrangente do que a vida. Mas de todo modo, se acreditarmos na possibilidade de êxito de um desses projetos, acreditaremos também que nossa felicidade pessoal será fortemente beneficiada por isso. Isso não vai nos impedir de sofrer com uma separação ou com a morte de um ente querido, em absoluto, mas pode atenuar outras fontes de sofrimento ou até nos equilibrar mais para enfrentar tais circunstâncias. O problema, em grande parte, é se vamos conseguir fazer isso. O risco do colapso está presente. Todas as épocas recearam o fim do mundo, algum tipo de apocalipse. Mas a nossa é a primeira que tem evidências científicas para a possibilidade de que se extinga a vida humana, em prazo breve, pela devastação do planeta. Além disso, nossa época é a primeira a manifestar uma crescente convicção de que podemos ser apenas um parêntese na história do mundo, do universo. Quando Deus era uma presença forte, quando conhecíamos menos a história do planeta e das espécies, podíamos pensar que éramos o coroamento da criação, que tudo teria sido feito para nós. Hoje, até evitamos pensar nessa questão.

Vamos a um museu de ciências. Pensemos quantos bilhões de anos houve antes de nós e quantos deverá haver depois de nós: então nos perguntaremos por que, afinal, fazemos tudo o que fazemos. Se a espécie acabar, para que tanto som e fúria? Isso é diferente para quem acredita na vida eterna, mas essa crença movimenta cada vez menos pessoas.

No entanto, penso que um certo receio do colapso é positivo, porque pode ser um acicate para nossa ação. Um dos aspectos que mais nos motivaram em nossa conversa foi o descaso com a dimensão pública ou política. Se pensarmos que o político não se restringe à política partidária, nem aos governos, mas diz respeito ao modo como a humanidade define seu destino, veremos que enfrentar o risco do fim do mundo é uma prioridade política. A construção da felicidade possível é uma boa pergunta, que leva em conta tanto o horizonte para o qual nos movemos, e que sempre se afasta, quanto as ameaças que vemos pairando sobre nós e que precisamos enfrentar, em vez de fingir que não existem.

Cortella – Isso é bom demais. Em outras palavras, hoje, o exercício da política nas suas múltiplas dimensões, por qualquer pessoa, é um projeto contra o biocídio. É realmente um projeto contra o biocídio, a favor da vida em mim, no outro – da vida no planeta. Esse antibiocídio é um projeto muito mais amplo do que a minha vida exclusivamente individual. É uma recusa à ideia de que há uma banalidade na existência. Desse ponto de vista, para mim, ele é uma energia vital.

Stephen Jay Gould, paleontólogo norte-americano já falecido, chegou a fazer algo que acho genial: calculou a massa das bactérias e dos humanos que há no planeta. Pois a soma total da massa das bactérias é mais pesada do que a soma da massa dos seres humanos... Nem mesmo em termos de massa nós temos tanto significado em relação a outras formas de vida. A nossa antropolatria pode ser um pouco perigosa... Contudo, talvez essa admiração por nós mesmos seja um recurso do qual lançamos mão contra o colapso. Gosto muito quando Marx diz: "A humanidade nunca se coloca problemas que não possa resolver". Afinal, a mesma situação que gera o problema, e a consciência dele, gera também os meios para resolvê-lo. Então, sem dúvida, temos uma questão política que, no meu entender, é um projeto contra o biocídio, isto é, um projeto para afastar o colapso.

Janine – Para concluir, eu estava pensando que somos herdeiros de uma época em que a política era vivida como uma forma de *oposição*. Houve a guerra contra o fascismo – uma das coisas mais próximas do mal que já existiram na política, junto, claro, com outras formas de totalitarismo, como o stalinismo. Houve também toda uma interpretação do mundo pelo conflito capital/trabalho, capitalismo *versus* socialismo etc. Mas, quando passamos à questão da vida, estamos perante uma situação em que todos somos perdedores ou todos somos ganhadores. Nossa sociedade pode ser muito individualista, mas seu destino se jogará em conjunto. Nas formas anteriores de pensar política, tínhamos situações em que alguém ganhava e alguém perdia. Não estou dizendo que esses dois lados somassem zero, ou seja, que um ganhava exatamente o que o outro perdia. O Estado do bem-estar social melhorou a distribuição de renda e a soma foi positiva. Já a maior parte das guerras gerou uma soma negativa, porque a destruição total foi maior do que aquilo que os vencedores tomaram para si. Um exemplo banal: quando alguém furta o rádio de um carro, o estrago que faz no veículo é muito maior do que o dinheiro que ganhará do receptador.

Agora, estamos numa época – já entramos nela, mesmo que nem todos estejam conscientes ou convictos disso – na qual importa saber que nesse novo jogo todos iremos ganhar ou, todos, perder. E o que discutimos sobre consenso e acordos me convence disso. Enquanto em várias questões – trabalhistas, previdenciárias, conflitos patrão/empregado, conflitos religiosos etc. – as pessoas adotam posições divergentes, já quando o que está em jogo é a vida (a vida no planeta, a nossa qualidade de vida nele), passamos a ter uma base mais firme para uma aproximação entre nós, para uma nova aliança.

Cortella – Em tal circunstância, nosso inimigo, nosso antagonista passa a ser o biocídio. Assim precisamos estar conscientes, atentos aos efeitos de nossos atos, desejosos de estabelecer laços de convivência para preservar a vida. A política não pode ser anulação, tem de propiciar possibilidades de convivência. É por isso que, se alguém me pergunta: "Política?", eu respondo: "Sou a favor". "A favor de quê?" Aí começa a política. E ouça o que vamos falar...

Glossário

Agostinho (354-430): Bispo católico, teólogo e filósofo. Considerado pelos católicos como santo e doutor da Igreja, escreveu mais de 400 sermões, 270 cartas e 150 livros. É famoso por sua conversão ao cristianismo, relatada em seu livro *Confissões*.

"Al" Gore Jr., Albert Arnold (1948): Político norte-americano do Partido Democrata, foi vice-presidente na gestão de Bill Clinton (1993-2001). Nos últimos anos vem se dedicando à questão ambiental, tendo produzido um filme intitulado *Uma verdade inconveniente*, sobre as consequências do aquecimento global, que ganhou o Oscar de melhor documentário em 2007. Ainda em 2007, junto com o Painel Intergovernamental para as Alterações Climáticas da ONU, ele recebeu o prêmio Nobel da Paz pelos esforços empreendidos na disseminação de conhecimentos sobre o tema. Publicou dois livros: *A Terra em balanço: Ecologia e o espírito humano* e *Uma verdade inconveniente*.

Aristóteles (384 a.C.-322 a.C.): Filósofo grego, é considerado um dos maiores pensadores de todos os tempos e figura entre os expoentes que mais influenciaram o pensamento ocidental. Discípulo de Platão, defendia a busca da realidade pela experiência. Interessou-se por diversas áreas, tendo deixado um importante legado nas áreas de lógica, física, metafísica, da moral e da ética, além de poesia e retórica.

Berlusconi, Silvio (1936-2023): Empresário da área de comunicação e político italiano, foi primeiro-ministro do país em três ocasiões. Cofundador e líder do partido Força Itália, além de seu papel de destaque nos negócios ligados ao entretenimento, era dono de bancos e possuía uma das maiores fortunas da Europa.

Bush, George W. (1946): Político norte-americano do Partido Republicano, foi presidente do país por dois mandatos consecutivos, de 2001 a 2009. Durante seu primeiro mandato, ocorreu o atentado terrorista de 11/9/2001 e, ao final do segundo, ele enfrentou uma crise econômica que seria considerada a mais grave das últimas décadas.

César, Júlio (101 a.C.-44 a.C.): Militar e estadista romano. Figura dominante nos últimos anos da república romana, ascendeu de chefe político a chefe militar, e de chefe militar a ditador, lançando as bases para o futuro império. Foi apunhalado em pleno senado por Brutus, seu protegido, que chefiava a conspiração republicana.

Chirac, Jacques René (1932-2019): Político francês de perfil conservador, ocupou diversos postos importantes. Foi prefeito de Paris, primeiro-ministro da França por dois períodos (1974-1976 e 1986-1988) e, posteriormente, presidente do pais (1995-2002).

Covas, Mário (1930-2001): Político brasileiro natural de Santos (SP), formou-se em engenharia civil pela Escola Politécnica da Universidade de São Paulo (Poli/USP), onde iniciou sua militância política. Foi deputado federal, senador, prefeito da capital paulista e governador do estado de São Paulo.

Darwin, Charles (1809-1882): Biólogo e naturalista inglês. Suas observações da natureza levaram-no ao estudo da diversidade das espécies e, em 1838, ao desenvolvimento da teoria da seleção natural. Em sua obra *A origem das espécies*, de 1859, apresenta a teoria da evolução das espécies a partir de um ancestral comum.

De la Taille, Yves (1951): Nascido na França, desde criança vive no Brasil. Professor de Psicologia do Desenvolvimento Moral na USP, é um dos especialistas mais respeitados do país nessa área. É coautor dos livros *Nos labirintos da moral* (com Mario Sergio Cortella) e *Indisciplina na escola*, e autor, entre outros, de *Limites: Três dimensões educacionais* e de *Formação ética: Do tédio ao respeito de si*.

Deodoro da Fonseca, Manuel (1827-1892): Militar alagoano, proclamador da República, foi chefe do governo provisório de 15 de novembro de 1889 até 24 de fevereiro de 1891 e presidente da República dessa data até 23 de novembro de 1891, quando renunciou.

Diamond, Jared Mason (1937): Biólogo, fisiologista e escritor, em 1998 ganhou o prêmio Pulitzer por seu livro *Armas, germes e aço*. Como cientista, interessa-se por diferentes áreas de pesquisa. Atualmente é professor de Geografia na Universidade da Califórnia, em Los Angeles.

Dimenstein, Gilberto (1956-2020): Jornalista, obteve reconhecimento dentro e fora do Brasil por suas reportagens investigativas. Recebeu o grande Prêmio Jabuti de Livro de Não Ficção e ganhou o Prêmio Nacional de Direitos Humanos. Foi também o idealizador da Cidade Escola Aprendiz, experiência de educação comunitária considerada referência mundial pela Unesco e pelo Unicef.

Dussel, Enrique (1934-2023): Escritor e filósofo nascido na Argentina, exilou-se no México após um ataque à bomba em sua casa, realizado por um grupo paramilitar. Doutorou-se em filosofia na Universidade Complutense de Madri e em história na Sorbonne, em Paris. Recebeu ainda o título de doutor *honoris causa* pela Universidade de Friburgo, na Suíça, e pela Universidade de San Andrés, na Bolívia. Publicou mais de 50 obras, entre as quais *Por um mundo diferente* e *Ética da libertação*.

FitzRoy, Robert (1805-1865): Um dos mais jovens marinheiros ingleses a comandar um navio hidrográfico. Foi o capitão do HMS Beagle em duas ocasiões, incluindo a famosa expedição de Charles Darwin, que foi fundamental para o desenvolvimento da teoria da evolução das espécies.

Freire, Roberto (1927-2008): Psiquiatra, escritor, jornalista, dramaturgo e cineasta paulistano, foi um dos fundadores do Teatro da Universidade Católica de São Paulo (Tuca), em 1965, e também seu diretor artístico. É conhecido como o criador da somaterapia, terapia corporal baseada nas teorias psicanalíticas do austríaco Wilhelm Reich e em conceitos anarquistas. Autor de vários livros, escreveu para o teatro, o cinema e a televisão. Suas obras mais conhecidas são o romance *Cléo e Daniel* (1965) e os ensaios *Ame e dê vexame* e *Sem tesão não há solução* (1987).

Freud, Sigmund (1856-1939): Médico neurologista e psiquiatra austríaco. É conhecido como o "pai da psicanálise" por seu pioneirismo nos estudos sobre a mente e por apresentar ao mundo o inconsciente humano. Defendia a tese de que há uma relação entre histeria e sexualidade e estudou ainda a relação entre os traumas sofridos na infância e os sintomas da histeria. Entre seus seguidores destacam-se Alfred Adler e Carl Jung. Possui diversas obras publicadas.

Galeano, Eduardo (1940-2015): Jornalista e escritor uruguaio, escreveu algumas dezenas de obras. A primeira edição de seu livro mais conhecido, *As veias abertas da América Latina*, data de 1971. Viveu exilado por vários anos na Argentina e na Espanha, tendo retornado a seu país em 1985.

Garcia dos Santos, Laymert (1948): Formado em jornalismo pela Universidade Federal do Rio de Janeiro, realizou seu mestrado e seu doutorado na França. É professor titular de Sociologia do Instituto de Filosofia e Ciências Humanas (IFCH) da Unicamp e membro do Instituto Socioambiental.

Gould, Stephen Jay (1941-2002): Professor norte-americano, formou-se em geologia e doutorou-se em paleontologia. Conhecido por seus textos de divulgação científica, dedicou-se especialmente à teoria da evolução e à história das ciências.

Gramsci, Antonio (1891-1937): Pensador italiano, representa uma figura de destaque do pensamento de esquerda no século XX. Entrou para o Partido Socialista em 1913, mas acabou rompendo com este em 1919, e seria cofundador do Partido Comunista italiano em 1921. Em 1926 foi preso pela polícia fascista. Durante seu período na prisão escreveu mais de 30 cadernos – obra que ficou conhecida como *Cadernos do cárcere*.

Guimarães Rosa, João (1908-1967): Ficcionista e diplomata brasileiro, tornou-se conhecido como escritor a partir da publicação de *Sagarana* em 1937. Sua obra é marcada pela invenção e pela inovação vocabular. Entre suas obras destacam-se *Grande sertão: Veredas* (1956) e *Primeiras estórias* (1952).

Guy de Maupassant, Henry René Albert (1850-1893): Escritor e poeta francês, explorou os traços psicológicos de seus personagens e histórias que lhe permitiam dar vazão à sua crítica social. Além de romances e peças de teatro, escreveu mais de 300 contos; entre os mais conhecidos estão *Bola de sebo*, *Uma aventura parisiense*, *Mademoiselle Fifi* e *O horla*.

Haddad, Fernando (1963): Formado em direito, com mestrado em economia e doutorado em filosofia. Professor universitário, já ocupou diversos cargos na administração pública e tornou-se ministro da Educação do governo Lula em 2005. Entre os livros que publicou estão *Em defesa do socialismo*; *Sindicatos, cooperativas e socialismo* e *Trabalho e linguagem*.

Hart, Gary (1936): Formado em direito, foi senador dos Estados Unidos. Depois de abandonar o Senado, tornou-se professor universitário e consultor para diversos temas relacionados a segurança e a questões ambientais. É também autor de diversos livros e artigos.

Hegel, Georg Wilhelm Friedrich (1770-1831): Filósofo alemão, defendia uma concepção monista, segundo a qual, mente e realidade exterior teriam a mesma natureza. Acreditava que a história é regida por leis necessárias e que o mundo constitui um único todo orgânico.

Kant, Immanuel (1724-1804): Filósofo alemão, suas pesquisas conduziram-no à interrogação sobre os limites da sensibilidade e da razão. A filosofia kantiana tenta responder às questões: Que podemos conhecer? Que podemos fazer? Que podemos esperar? Entre suas obras, destacam-se *Crítica da razão pura*, *Crítica da razão prática* e *Fundamentação da metafísica dos costumes*.

Kennedy, John Fitzgerald (1917-1963): Político norte-americano do Partido Democrata, foi presidente do país. Sua família era de origem irlandesa e católica. Formado em relações internacionais pela Universidade de Harvard, serviu na Marinha durante a Segunda Guerra Mundial. É considerado um dos principais líderes políticos do século XX.

La Boétie, Étienne de (1530-1563): Humanista e filósofo francês. Sua obra mais importante é *Discurso da servidão voluntária*, em que questiona as razões que levam um povo a se submeter à vontade de um tirano. Por fim, conclui que o maior bem do cidadão é a liberdade.

Lukács, Georg (1885-1971): Filósofo húngaro que desempenhou papel de relevo no cenário intelectual do século XX. Estudou na Universidade de Budapeste, depois viveu vários anos na Alemanha e, quando retornou a seu país, liderou um grupo de esquerda que incluía pensadores como Karl Mannheim, Bela Bartok e Michael Polanyi, entre outros. Escreveu também obras de crítica literária, sendo a mais importante delas *A teoria do romance*.

Machado de Assis, Joaquim Maria (1839-1908): Carioca de origem humilde, é considerado um dos maiores escritores de língua portuguesa. Suas obras vão de poesias a crônicas, passando por todos os gêneros literários. Fundador da Academia Brasileira de Letras, foi por mais de dez anos seu presidente. Entre seus principais livros estão *Memórias póstumas de Brás Cubas* (1881) e *Dom Casmurro* (1900).

Marcuse, Herbert (1898-1979): Foi um influente filósofo alemão, pertencente à Escola de Frankfurt, e um dos principais críticos da sociedade capitalista de consumo. Com a ascensão do nazismo, emigrou da Alemanha para a Suíça, indo em seguida para os Estados Unidos, onde obteve a cidadania em 1940. Entre suas obras estão *Eros e civilização* e *O fim da utopia*.

Marx, Karl (1818-1883): Cientista social, filósofo e revolucionário alemão, participou ativamente de movimentos socialistas. Seus estudos resultaram na obra *O capital* (1867), que exerceu e ainda exerce influência sobre o pensamento político e social no mundo todo.

Montoro, André Franco (1916-1999): Político brasileiro, foi uma das principais lideranças na luta pela redemocratização do país e pelas eleições diretas para presidente da República no início da década de 1980. Formado em direito, filosofia e pedagogia, foi professor universitário, secretário-geral do serviço social da Secretaria da Justiça de São Paulo e procurador do estado. Em sua carreira política, ocupou os cargos de vereador, deputado estadual e federal e depois senador, até chegar ao governo de São Paulo (1983-1987).

Otávio (63 a.C.-14 d.C.): Primeiro imperador romano, Caio Otávio marcou de tal maneira sua época que ela foi chamada século de Augusto (do cognome religioso que o Senado lhe dera em 27 a.C. e que consagrava sua missão como divina).

Pessoa, Fernando (1888-1935): Considerado o poeta de língua portuguesa mais importante do século XX, usava diferentes heterônimos para assinar sua obra. Os mais conhecidos são Alberto Caeiro, Álvaro de Campos e Ricardo Reis, cada um com estilos e visões de mundo diferentes. Sua única obra publicada em vida foi *Mensagem* (1934).

Platão (427-347 a.C.): Filósofo grego, discípulo de Sócrates, afirmava que as ideias são o próprio objeto do conhecimento intelectual. O papel da filosofia seria libertar o homem do mundo das aparências para o mundo das essências. Escreveu 38 obras. Em virtude do gênero literário predominante, elas ficaram conhecidas pelo nome coletivo de *Diálogos de Platão*.

Reich, Wilhelm (1897-1957): Psicanalista austríaco. Nascido numa pequena aldeia no noroeste do Império Austro-Húngaro (atualmente território ucraniano), ele perde a mãe em 1910 e o pai em 1914. Depois da Primeira Guerra Mundial, vai estudar medicina em Viena, interessando-se particularmente pela libido humana. Em virtude da ascensão do nazismo, emigra para a Noruega e depois para os Estados Unidos.

Ricoeur, Paul (1913-2005): Filósofo francês, um dos principais pensadores da hermenêutica (ou seja, a filosofia da interpretação). Foi professor na Universidade de Estrasburgo, na Sorbonne e em Chicago. Publicou numerosos livros, entre os quais *Tempo e narrativa*, em três tomos.

Rodrigues, Nelson (1912-1980): Jornalista e dramaturgo, é considerado por alguns como o mais revolucionário personagem do teatro brasileiro. Seus textos eram permeados de incestos, crimes e suicídios. Entre suas peças, destacam-se *Vestido de noiva* e *Toda nudez será castigada*.

Roosevelt, Franklin Delano (1882-1945): Presidente dos Estados Unidos por quatro mandatos, foi eleito para o primeiro deles em um período em que o país enfrentava grandes dificuldades socioeconômicas, em consequência da Grande Depressão posterior à crise da bolsa de 1929, quando pôs em prática a política do *New Deal*.

Sarney, José (1930): Político maranhense, foi eleito vice-presidente da República na chapa de Tancredo Neves, por um colégio eleitoral em 1985 (eleição indireta); assumiu a presidência do Brasil como vice em março daquele mesmo ano, pelo adoecimento do presidente eleito. Com a morte do titular em 21 de abril, foi empossado presidente.

Sartre, Jean-Paul (1905-1980): Filósofo e escritor francês, foi um dos principais representantes do existencialismo. Romancista, dramaturgo e crítico literário, Sartre conquistou o prêmio Nobel, em 1964, mas o recusou. *Crítica da razão dialética* sintetiza a filosofia política do autor. *O ser e o nada* e *O muro* são algumas de suas obras mundialmente conhecidas.

Spencer, Herbert (1820-1903): Filósofo inglês, aplicou à sociologia ideias retiradas das ciências naturais. Foi o principal representante do evolucionismo nas ciências humanas, antecipou-se a seu compatriota Charles Darwin na questão da existência de regras evolucionista na natureza. É dele a expressão "sobrevivência do mais apto".

Vargas, Getúlio (1882-1954): Político brasileiro que por mais tempo exerceu a presidência da República. Getúlio Dornelles Vargas em 1930 assumiu o Governo Provisório após comandar a Revolução de 1930; em 1934 foi eleito presidente da República pela assembleia constituinte, cargo no qual permaneceu até 1945; no ano de 1951 voltou à presidência pelo Partido Trabalhista Brasileiro por votação direta e com uma política nacionalista criou a campanha "O petróleo é nosso" que resultaria na criação da Petrobras. Vargas, durante seu mandato, na área trabalhista, criou a Justiça do Trabalho, o Ministério da Justiça, o salário mínimo, a Consolidação das Leis do Trabalho, a carteira profissional, a semana de 48 horas e as férias remuneradas. Na área estatal, criou a Companhia Siderúrgica Nacional, a Vale do Rio Doce, a hidrelétrica do Vale do São Francisco e entidades como o Instituto Brasileiro de Geografia e Estatística (IBGE). Permaneceu no poder até suicidar-se em 1954.

Weber, Max (1864-1920): Sociólogo alemão, defendia a busca da neutralidade científica na vida acadêmica. Realizou amplos estudos de história comparativa e foi um dos autores mais influentes no estudo do capitalismo e da burocracia. Entre outras obras, é autor de *A ética protestante e o espírito do capitalismo* (1905) e *Economia e sociedade*, publicada postumamente, em 1922.

Zhou Enlai (1898-1976): Foi um destacado político da República Popular da China, membro do Partido Comunista desde sua juventude. Primeiro-ministro chinês de 1949 a 1976, era considerado um hábil diplomata, tendo ocupado simultaneamente o cargo de ministro das Relações Exteriores de 1949 a 1958.